Ramón de Jesús Rodríguez

Et si j'apprenais
l'aquarelle

Éditions
Place des Victoires

6, rue du Mail - 75002 Paris

Achevé d'imprimer en avril 1999
sur les presses de Eurografica, Vicence, Italie

ISBN 2-84459-008-X
Dépôt légal : 2e trimestre 1999

SOMMAIRE

Matériel

LE MÉDIUM

Comme son nom l'indique, la technique de l'aquarelle est entièrement basée sur l'eau. Le médium est essentiellement composé de gomme arabique et de pigments. Les couleurs à l'aquarelle peuvent être solides ou se présenter sous la forme d'une pâte. Dans le premier cas, il est nécessaire de les mouiller pour qu'elles se ramollissent et puissent être prélevées au pinceau ; les couleurs en pâte doivent également être mouillées, mais elles sont moins difficiles à diluer dans l'eau.

▲ *Les couleurs se présentent généralement en tube ou en godet.*

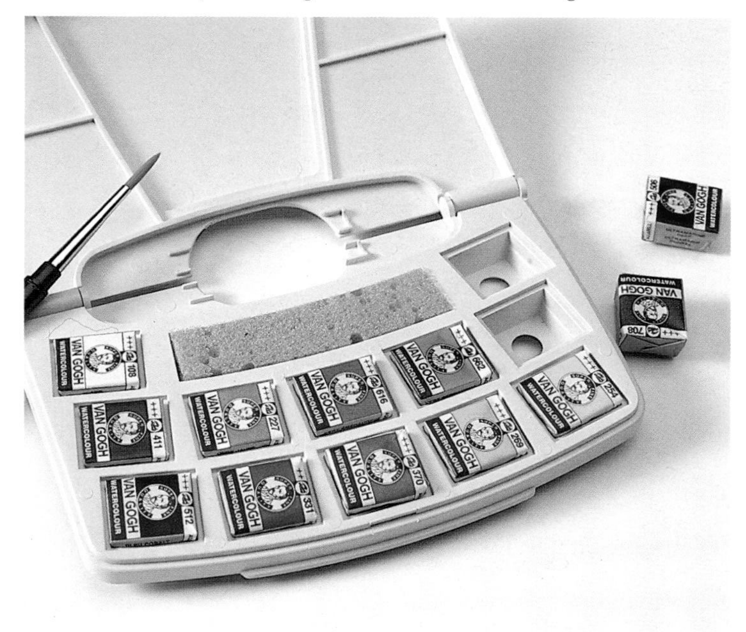

Il n'est pas nécessaire de disposer d'une grande quantité de matériel pour peindre à l'aquarelle, mais le choix de ce matériel revêt une importance fondamentale car il s'agit d'un médium très délicat. Vous trouverez, dans les pages qui suivent, une description des principaux éléments utilisés pour la technique de l'aquarelle ; leur emploi vous sera expliqué en détail tout au long de ce livre. Il est important que le peintre connaisse le matériel et ses qualités, ainsi que les accessoires et les fournitures complémentaires, car dans le cas contraire, il sera dans l'incapacité d'obtenir certains effets et d'utiliser certaines techniques.

L'ÉQUIPEMENT DE BASE

Il n'est pas nécessaire de disposer d'une grande quantité de matériel pour commencer à peindre à l'aquarelle. Une petite boîte, un pinceau et du papier suffisent, mais ils doivent être sélectionnés avec beaucoup de soin. Le choix proposé par les magasins spécialisés dans la vente d'articles pour les beaux-arts peut être très étendu ou, au contraire, trop réduit. Ces deux options peuvent donner lieu à des confusions.

Pour commencer à peindre à l'aquarelle, il vous suffit d'un pinceau, d'un verre rempli d'eau, de papier et, bien entendu, d'une boîte de couleurs. ▲

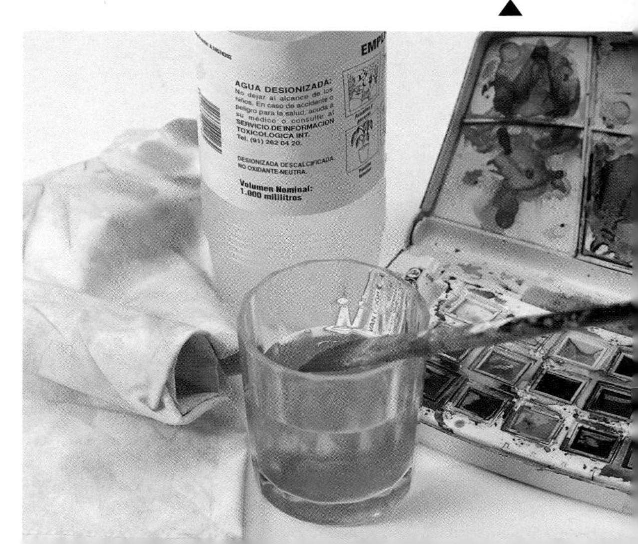

PRÉSENTATIONS DE L'AQUARELLE

Il existe une grande variété de formats et de qualités d'aquarelles. Les plus économiques sont celles que l'on nomme aquarelles scolaires. Si vous souhaitez vraiment apprendre à peindre, n'utilisez pas ce type d'aquarelles car leur champ d'application est beaucoup moins étendu que celui des aquarelles de qualité moyenne. Parmi les aquarelles recommandées pour les personnes qui débutent, citons celles de la gamme intermédiaire, tant en godet (ou en pastille) qu'en tube ; elles sont généralement fabriquées par des grandes marques et permettent d'exécuter toutes sortes de travaux.

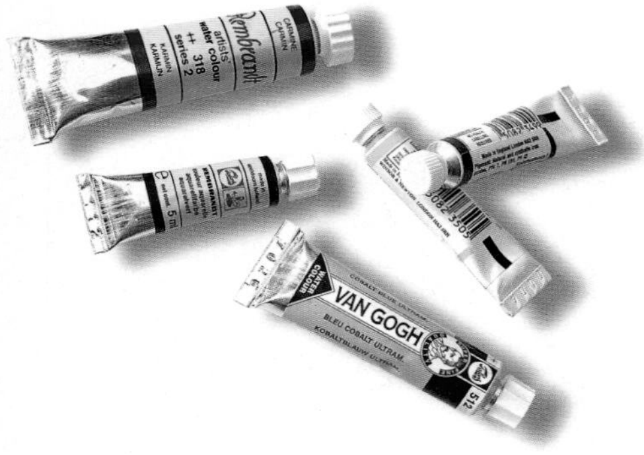

Tubes unitaires. *Cette option est recommandée pour les personnes possédant déjà une certaine expérience et pour les artistes qui souhaitent personnaliser les couleurs de leur coffret grâce à un choix déterminé. Les tubes peuvent être de différentes tailles, selon le fabricant.*

Coffret de couleurs semi-humides, en godets ou en pastilles. *Le choix de ce type d'aquarelle dépend du goût de chacun. Les couleurs sèches requièrent un peu plus de travail que les couleurs semi-humides au moment de peindre, mais ces dernières peuvent s'avérer plus pratiques car elles peuvent être humidifiées dans leur propre récipient.*

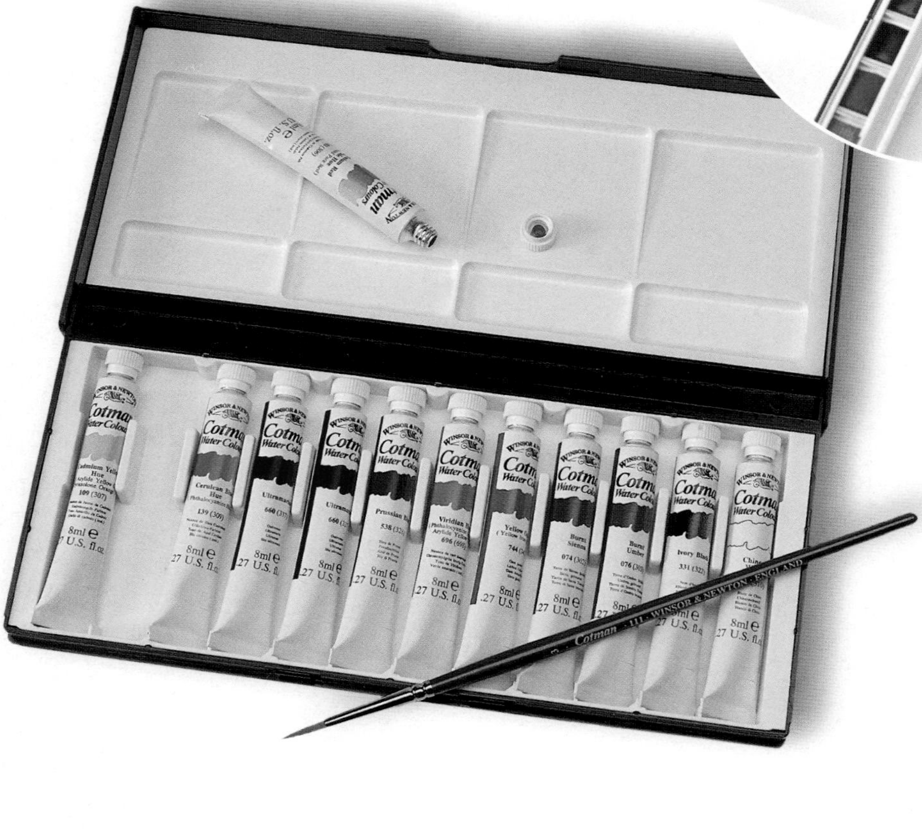

Coffret de couleurs en tubes. *Les coffrets contiennent généralement une gamme complète, bien que parfois minimale, de couleurs. Le couvercle du coffret fait également office de palette. Ce coffret appartient à une gamme moyenne, particulièrement recommandée pour les peintres amateurs.*

LE PAPIER

Le papier est un élément fondamental dans le domaine de la peinture à l'aquarelle ; en effet, contrairement à d'autres médiums, qui peuvent être appliqués sur toutes sortes de supports, l'aquarelle peut uniquement être peinte sur du papier. Néanmoins, le choix de l'aquarelliste ne doit pas porter sur un papier quelconque, celui-ci doit posséder des caractéristiques particulières. Le grammage du papier correspond à son poids et donc à sa densité au mètre carré ; son apprêt dépend de son taux d'encollage (certains types d'encollages entraînent une réduction du taux d'absorption du papier qui s'avère alors insuffisant pour l'aquarelle) ; le grain du papier dépend de la brillance de celui-ci, un papier à grain fin étant très lisse alors qu'un papier à gros grain présente une surface rugueuse. Le papier le plus couramment utilisé possède un grammage de 250 g et un grain moyen.

▼ ***Blocs à aquarelle.*** *Il s'agit de l'une des options les plus pratiques. Les caractéristiques du papier figurent généralement sur le faux-titre du bloc. Il convient toujours d'utiliser un papier à aquarelle assez épais (grammage élevé). Il existe différents formats de blocs ; certains d'entre eux, peu encombrants et faciles à transporter, sont particulièrement pratiques pour les voyages et l'exécution d'ébauches. Ils existent également en grands formats, appropriés pour les travaux à l'aquarelle de grandes dimensions.*

Parmi les blocs à aquarelle les plus utilisés, soulignons ceux qui sont encollés sur les quatre côtés. Ils sont particulièrement pratiques car étant donné que les bords du papier sont fixés, celui-ci ne se fripe pas lorsque vous peignez. Les feuilles doivent être séparées au cutter.

◀ ***Papiers de fabrication artisanale.*** *Comme son nom l'indique, le papier de fabrication artisanale est fabriqué à la main. Il est généralement de qualité assez élevée et son emploi est souvent réservé à des travaux très particuliers.*

▼ ***Papiers de marque.*** *Les marques spécialisées dans la fabrication de papier à aquarelle et à dessin disposent en général de qualités qui diffèrent selon l'épaisseur et l'apprêt. Dans la plupart des cas, ces papiers portent un filigrane ou une gravure à sec indiquant le nom du fabricant. Vous pouvez les acquérir à l'unité, mais ces mêmes fabricants les proposent également en cahiers ou en blocs.*

LES PINCEAUX À AQUARELLE

Si le choix des couleurs et du papier est très important pour la peinture à l'aquarelle, celui des pinceaux ne l'est pas moins. L'aquarelliste est l'un des artistes les plus exigeants en ce qui concerne la qualité de ses pinceaux. L'aquarelle est un médium qui requiert des pinceaux très spéciaux. Les caractéristiques que l'artiste doit exiger d'un pinceau sont : la capacité d'absorption et de rétention de l'eau, la souplesse et l'aptitude à retrouver sa forme initiale après le coup de pinceau, et éventuellement, la possibilité de peindre des points et des lignes sans que les soies du pinceau se séparent.

QUELS PINCEAUX ACHETER

Il n'est pas nécessaire de disposer d'un grand nombre de pinceaux pour peindre à l'aquarelle car un seul pinceau permet de réaliser une grande diversité de taches et de traits. Il est par contre très important que les pinceaux soient de bonne qualité.

▶ *Cette gamme de pinceaux est suffisante pour peindre à l'aquarelle : deux brosses, n° 40 (1) et n° 9 (2), un pinceau plat n° 17 (3), deux pinceaux ronds, n° 14 (4) et n° 5 (5).*

LES DIFFÉRENTES PARTIES DU PINCEAU

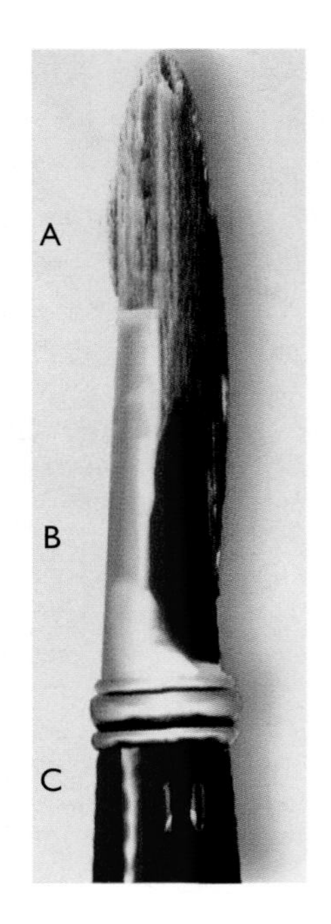

L'aquarelliste doit posséder des pinceaux de bonne qualité. Il doit donc connaître les différentes parties qui composent un pinceau et savoir comment elles doivent être fabriquées pour l'utiliser de façon optimale.

▶ **A. La touffe.** *Il s'agit du faisceau de soies. La touffe des pinceaux peut être en matériau synthétique, en soie de porc ou encore en poils de martre ou de mangouste, ces derniers présentant une qualité particulièrement élevée. La pointe doit être parfaite. Elle est collée au manche et solidement fixée à l'aide de la virole.*

B. La virole. *Il s'agit de l'étui métallique qui fixe la touffe au manche. La virole doit être chromée et d'une seule pièce. La forme de la virole détermine celle de la touffe.*

C. Le manche. *Il s'agit de la partie allongée du pinceau. Étant donné que le manche est généralement en bois, il est important qu'il soit de bonne qualité car le pinceau sera souvent plongé dans l'eau et exposé à ses effets. En ce qui concerne le finissage, le manche peut être verni, peint ou laqué. Les pinceaux de meilleure qualité sont soumis à un traitement anti-humidité qui empêche le manche de s'écailler et de pourrir.*

LA FORME ET LA TAILLE DE LA TOUFFE

La touffe peut être ronde ou plate, selon la forme de la virole. Les pinceaux ronds permettent de réaliser des traits fins, même si la touffe est épaisse, et les pinceaux plats des traits larges ou fins, selon la façon dont ils sont posés sur le papier.

◀ *Pinceau rond en poils de martre (1), pinceau plat en matériau synthétique de grande qualité (2), pinceau rond en poils de mangouste (3) et pinceau chinois en poils de loup (4).*

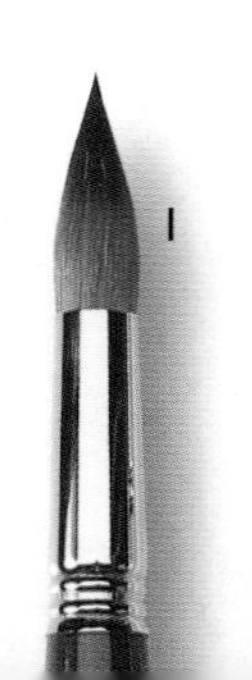

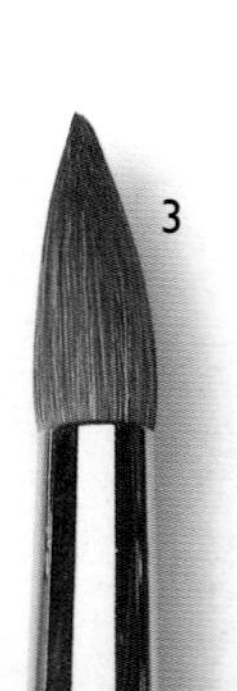

ENTRETIEN ET RANGEMENT DES PINCEAUX

Les pinceaux à aquarelle sont très fragiles. Il est nécessaire de tenir compte d'un certain nombre de précautions très importantes au moment d'utiliser, d'entretenir et de ranger ces précieux outils. Vous devez avant tout considérer le pinceau comme un outil de précision ; outre le fait qu'un pinceau bien entretenu peut être employé pendant de nombreuses années, avec le temps, il s'adapte à la main et au coup de poignet de la personne qui l'utilise ; d'autre part, il est très facile d'endommager un pinceau très cher.

▶ *Les pinceaux à aquarelle ronds sont fournis avec un tube en plastique qui empêche toute déformation de la touffe. Nous vous conseillons de conserver ce tube pour protéger votre pinceau après utilisation. Pour éviter la formation de moisissure, ne mettez le tube en place que lorsqu'il est parfaitement sec.*

▼ *La pointe des pinceaux à aquarelle neufs est engommée de façon à ce qu'elle conserve sa rigidité et à éviter qu'elle se déforme. Pour la ramollir, mouillez-la à l'eau propre juste avant d'utiliser le pinceau. Ne forcez jamais sur la pointe avec les doigts lorsqu'elle est encore rigide : vous risqueriez de plier la touffe et de la déformer de manière irréversible.*

CONSEIL UTILE

Certains pinceaux sont susceptibles de ne pas être utilisés pendant un certain temps. Le cas échéant, la méthode de conservation la plus adéquate consiste à les envelopper conjointement à des boules de camphre. Cette simple précaution empêchera les insectes de s'en approcher.

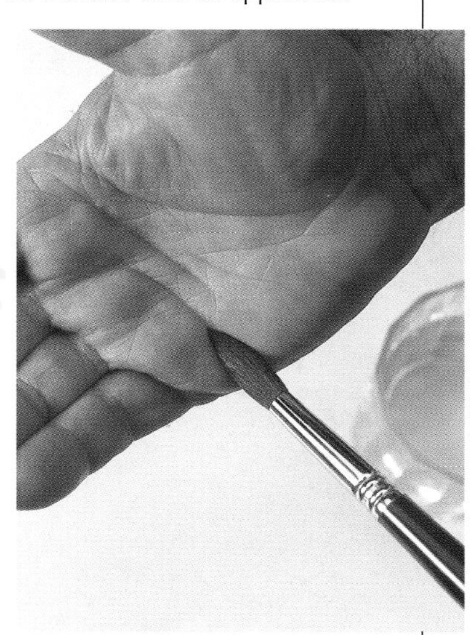

◀ *Les pinceaux sont très faciles à nettoyer à l'eau courante. Pour les nettoyer à fond, il vous suffit de frotter la touffe avec un peu de savon contre la paume de votre main, puis de rincer le pinceau à l'eau propre pour éliminer toute trace de peinture.*

Les pinceaux peuvent être transportés dans une housse enroulable en paille. Ce simple accessoire permet de regrouper et de ranger les pinceaux de façon très rapide et très pratique. ▲

ESSAIS DE PINCEAUX

Nous avons vu quels sont les outils indispensables à l'aquarelliste. Nous vous conseillons maintenant d'effectuer quelques essais sur papier pour constater, dans la pratique, les différents résultats obtenus.

Après avoir déposé la couleur sur la palette, essayez les différents pinceaux pour déterminer quels types de traits vous obtenez avec chacun d'entre eux. Humidifiez tout d'abord le pinceau à l'eau propre et égouttez-le. Trempez le pinceau humide dans la couleur qui se trouve sur la palette et remuez-le pour qu'il s'en imprègne.

CE DONT VOUS AVEZ BESOIN

Le matériel dont vous avez besoin pour effectuer ces essais très simples se limite à celui que nous avons cité jusqu'à présent : divers papiers à aquarelle de différentes marques et qualités, des pinceaux ronds (gros et fins), un pinceau plat et des brosses. Il vous faut également des couleurs à l'aquarelle et leur couvercle-palette, ainsi qu'un verre rempli d'eau. Effectuez ces essais sur du papier à grain fin, du papier à grain moyen et du papier à gros grain.

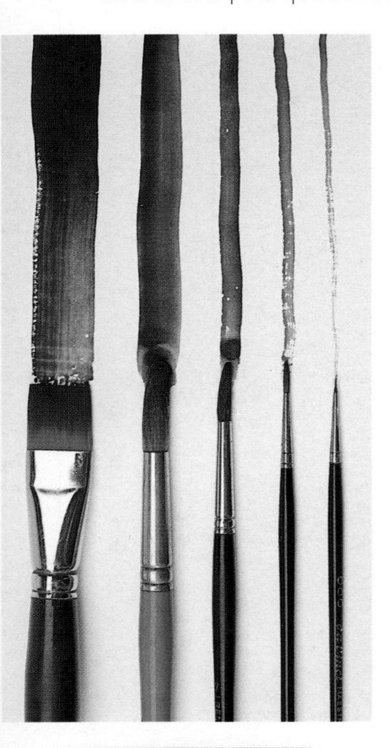

Faites cet essai avec tous les pinceaux dont vous disposez. Chacun d'entre eux doit porter la charge de peinture adéquate. Tracez tout d'abord une ligne avec le plus gros pinceau plat. Tracez ensuite de nouvelles lignes avec les pinceaux restants. Les pinceaux fins supportent bien entendu une charge de peinture beaucoup plus réduite que les gros pinceaux.

La touffe de la brosse s'emploie pour résoudre toutes sortes de taches et d'aplats de grande taille.

L'essai à la brosse consiste à couvrir la totalité d'une surface étendue. La brosse supporte une grande quantité de peinture, mais elle ne doit pas être trop saturée.

COMMENT PRÉLEVER LA COULEUR

Déposez une petite quantité de couleur sur la palette. Cette opération ne présente aucune difficulté, mais la technique varie sensiblement selon que la couleur se présente en tube ou en godet. La couleur ayant été déposée sur la palette, la façon d'imprégner le pinceau est la même dans les deux cas.

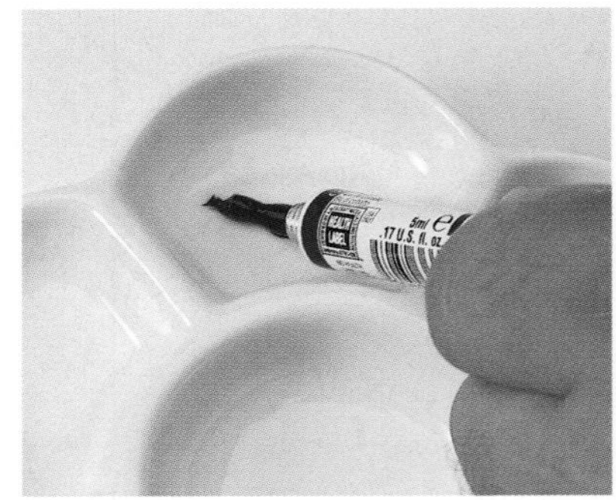

Dans le cas des aquarelles en tubes, appuyez légèrement sur le tube et déposez la couleur sur la palette, dans un coin ou près du bord afin de pouvoir, par la suite, travailler plus aisément avec le pinceau. Utilisez une palette à compartiments, en porcelaine.

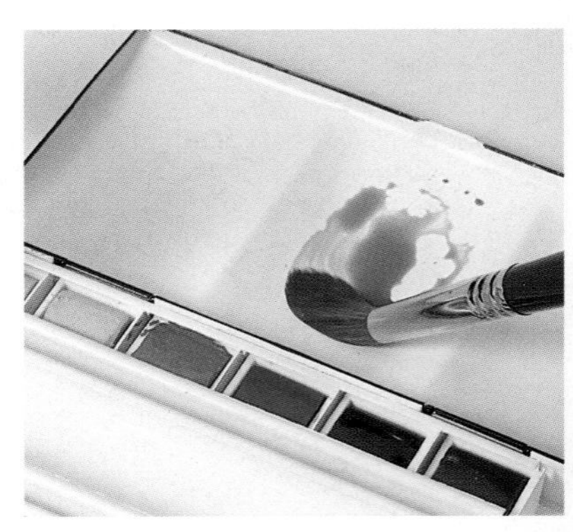

Dans le cas des aquarelles en godets ou en pastilles, prélevez la couleur à l'aide du pinceau humidifié à l'eau propre. Le pinceau ne doit pas dégoutter. Frottez ensuite le pinceau énergiquement et à plusieurs reprises sur la pastille jusqu'à ce que la peinture se ramollisse et imprégnez la totalité de la touffe. La couleur est alors prête à être déposée sur la palette et appliquée sur le papier.

PAPIER À GRAIN FIN

Ce type de papier n'est pas particulièrement adéquat pour l'aquarelle, bien qu'il facilite la réalisation de certains travaux exigeant un degré déterminé de détails. Le grain fin est presque exempt de texture et le papier n'oppose donc pas une grande résistance au coup de pinceau. Les papiers trop fins doivent définitivement être rejetés car ils se fripent très facilement.

◀ *Voici un exemple de ce qui se produit lorsque vous utilisez des papiers de mauvaise qualité. Vous devez rejeter les papiers sans grain à grammage très faible. La couleur se dépose mal et le papier se fripe.*

PAPIER À GRAIN MOYEN

C'est le papier le plus utilisé pour l'aquarelle car sa texture se prête à la réalisation de toutes sortes de travaux, des plus délicats aux plus libres et expressionnistes. La majorité des blocs à aquarelle contiennent ce type de papier.

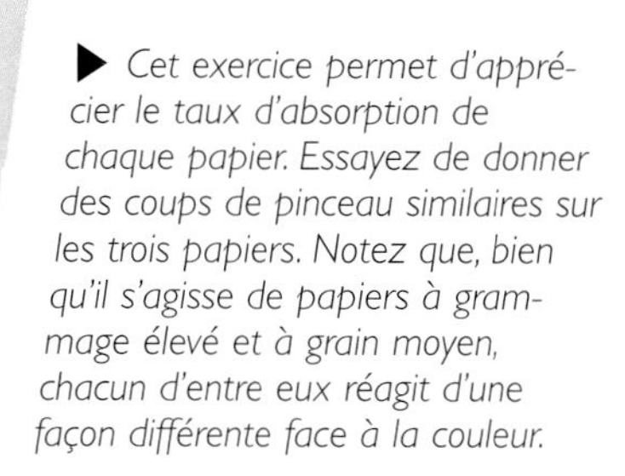

▶ *Cet exercice permet d'apprécier le taux d'absorption de chaque papier. Essayez de donner des coups de pinceau similaires sur les trois papiers. Notez que, bien qu'il s'agisse de papiers à grammage élevé et à grain moyen, chacun d'entre eux réagit d'une façon différente face à la couleur.*

Ce type d'essai est très facile à réaliser. Choisissez différents papiers et effectuez des tracés similaires sur chacun d'entre eux. Dans le cas ci-contre, l'essai a été effectué sur un papier à grain fin et un papier à gros grain. Sur le premier, la couleur a détrempé le support, qui s'est fripé. Sur le second, elle s'est parfaitement répartie sans aucune altération de la surface. ◀

PAPIER À GROS GRAIN

Il est très texturé et s'utilise uniquement pour les travaux très particuliers. Ce type de papier existe seulement en grammages élevés et de nombreux fabricants le produisent de façon semi-artisanale ou artisanale.

BOÎTES À PINCEAUX

Les boîtes à pinceaux sont très utiles, tant pour transporter les pinceaux que pour les ranger. Elles existent en différentes tailles, parfaitement adaptées aux dimensions des divers pinceaux. Lorsque vous choisissez une boîte à pinceaux, tenez compte du nombre de pinceaux que vous devrez y ranger. Si la boîte est trop grande par rapport à la quantité de pinceaux qui s'y trouvent, les pointes risquent de heurter les parois en bois et d'être endommagées.

Étuis conçus pour le rangement et le transport des pinceaux. Choisissez la taille des étuis en fonction du nombre de pinceaux que vous souhaitez y ranger.

RÉCIPIENTS POUR LES PINCEAUX

Un certain nombre d'objets de la maison, de récipients, de bouteilles ou de flacons qui ont contenu divers types d'aliments tels que de la confiture, des yaourts et autres conserves, peuvent s'avérer très utiles pour la technique de l'aquarelle.

PINCELIER EN PLASTIQUE

Il ne s'agit pas d'un pincelier de type traditionnel, mais d'un modèle récent. Cet outil est particulièrement indiqué pour peindre en plein air car il peut être fermé hermétiquement ; il permet de transporter les pinceaux dans l'eau, sans que ceux-ci touchent le fond du récipient. C'est également un outil très pratique en atelier car les encoches de fixation bloquent les pinceaux et permettent d'éviter que leur pointe touche le fond et que le bois du manche se mouille.

Ce pincelier en plastique peut être fermé hermétiquement de façon à ce que les pinceaux soient suspendus par le manche et ne touchent pas le fond du récipient.

Un pot à ouverture large peut s'avérer parfait pour conserver les pinceaux ou les plonger dans l'eau. Une simple assiette blanche constitue l'une des meilleures palettes à aquarelle.

EN ATELIER ET EN PLEIN AIR

L'aquarelle est le médium idéal pour peindre tant en plein air qu'en atelier. Il est toujours recommandé de peindre à l'extérieur car le travail n'en est que plus agréable. Comme vous pouvez le supposer, la préparation du médium varie selon l'endroit où vous allez peindre : en intérieur ou en extérieur.

Boîte-palette pour couleurs en tubes. Ce type de boîte s'avère très utile car il permet de conserver la peinture pour plusieurs sessions successives. Les tubes sont rangés à part.

BOÎTES-PALETTES ET PALETTES

La boîte-palette présente l'avantage d'unir en un seul outil la palette et les couleurs, sans avoir à nettoyer le récipient après la session de travail. Indépendamment du type d'aquarelle utilisé, les palettes sont beaucoup plus pratiques pour travailler en atelier qu'en extérieur.

Les palettes d'atelier sont généralement de couleur blanche et en céramique pour faciliter leur nettoyage ; elles sont très utiles à condition que vous n'ayez pas à les transporter. Une assiette blanche est une bonne option, tout comme cette palette à compartiments dans laquelle vous pouvez mélanger les couleurs.

PEINTURE EN GODETS DE PORCELAINE

Bien qu'ils soient de grande taille, ces godets peuvent être utilisés en plein air pour les lavis monochromes ; leur principale application est néanmoins l'atelier. Il s'agit généralement de couleurs de grande qualité ; la forme du godet est spécialement conçue pour que le peintre puisse y appuyer son pinceau.

Godets de couleurs en céramique blanche. Ils sont particulièrement indiqués pour les lavis en atelier. Ils ne sont pas très pratiques à transporter ni à manipuler en raison de leur grande taille.

BOÎTES DE PLEIN AIR

Les boîtes miniatures sont un véritable délice pour de nombreux aquarellistes. Malgré leur petite taille, la qualité des couleurs qui s'y trouvent est souvent exceptionnelle. Ces petites boîtes et les couleurs qu'elles contiennent sont généralement plus que suffisantes, quel que soit le travail à réaliser.

Cette boîte-palette est une véritable merveille. Elle contient tous les éléments nécessaires à la peinture à l'aquarelle, y compris un réservoir d'eau et une petite cuve qui permet de mouiller le pinceau en cours de session. Lorsque le travail est terminé, il vous suffit de la fermer ; elle tient dans le creux de la main.

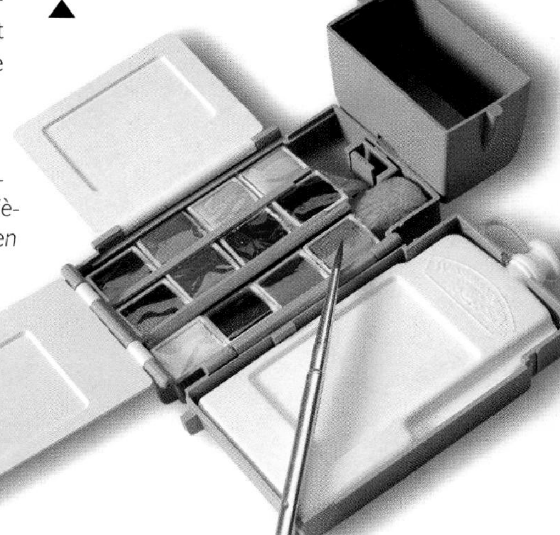

LE SUPPORT DU PAPIER

Le papier doit être fixé sur une surface rigide, tant pour la nécessité de disposer d'un support dur sur lequel vous devez pouvoir faire glisser le pinceau que pour des raisons de tension à la surface du papier. Le papier a tendance à se friper lorsqu'il est mouillé à la couleur ; il doit donc impérativement être fixé des quatre côtés pour éviter toute déformation.

Le papier doit être fixé sur une surface rigide. Le meilleur support consiste en une plaque en bois ou une planche. Fixez les quatre côtés du papier avant de commencer à peindre ; vous éviterez ainsi qu'il se fripe au contact avec la peinture humide. Les principaux accessoires utilisés pour fixer le papier à la plaque ou à la planche à dessin sont les suivants : un ruban adhésif à l'eau (1), un ruban adhésif de peintre (2), des punaises à trois pointes (3), des punaises à tête large (4) ou des pinces (5). Celles-ci permettent de bien fixer le papier sur le carton à dessin à condition que la feuille soit presque aussi grande que le carton. ▼

CARTONS À DESSIN

Il existe sur le marché de nombreux types de cartons à dessin qui s'adaptent à tous les besoins pratiques et esthétiques. Les plus simples sont en carton rigide et possèdent des chants en toile qui les rendent flexibles et facilitent leur ouverture. D'autres sont pourvus d'une fermeture à glissière et de compartiments intérieurs en plastique ; ces derniers permettent de présenter les travaux et de les ranger, mais ne sont pas très pratiques en plein air car ils sont légèrement flexibles et le papier n'adhère pas suffisamment à leur surface.

▼ *Divers types de cartons à dessin d'utilisations variées. Le carton à fermeture à glissière permet de ranger un certain nombre de travaux dans des pochettes en plastique. Le petit carton à dessin est destiné à des travaux de taille plus réduite et peut également servir de support, mais il s'abîme facilement. Le carton le plus simple est une bonne base pour peindre car le papier peut aisément y être fixé à l'aide de pinces.*

TENDRE LE PAPIER AVEC DU RUBAN ADHÉSIF

Cette opération est très simple et vous permet d'obtenir un papier tendu qui ne se fripera pas, même si vous employez une grande quantité d'eau.

▶ 1. *Posez le papier sur le support en bois, puis mouillez-le à l'aide d'une éponge imbibée d'eau propre.*

◀ 2. *Le papier étant mouillé, collez le ruban adhésif à l'eau. En séchant, le papier se tendra comme une peau de tambour. Il vous suffira de couper le pourtour au couteau lorsque vous aurez fini de peindre.*

CHEVALETS DE PLEIN AIR ET DE TABLE

Le chevalet est l'un des outils les plus importants pour l'aquarelliste. Cet accessoire permet d'appuyer le support à la hauteur souhaitée et de l'incliner de façon adéquate selon la technique de travail utilisée. Il existe des chevalets de diverses formes et tailles, et de différents prix ; vous trouverez sur cette page quelques exemples de chevalets parmi les plus pratiques.

Le chevalet permet de maintenir le papier en position verticale, ce qui s'avère beaucoup plus pratique et stable que de peindre sur une surface horizontale telle qu'un bloc.

CHEVALET DE TABLE

Il est petit, mais particulièrement utile pour le travail en atelier. Légèrement plus encombrant qu'un cahier, vous pouvez y poser des formats assez grands. Il doit être placé sur la table de travail. Il est particulièrement utile pour travailler en position assise.

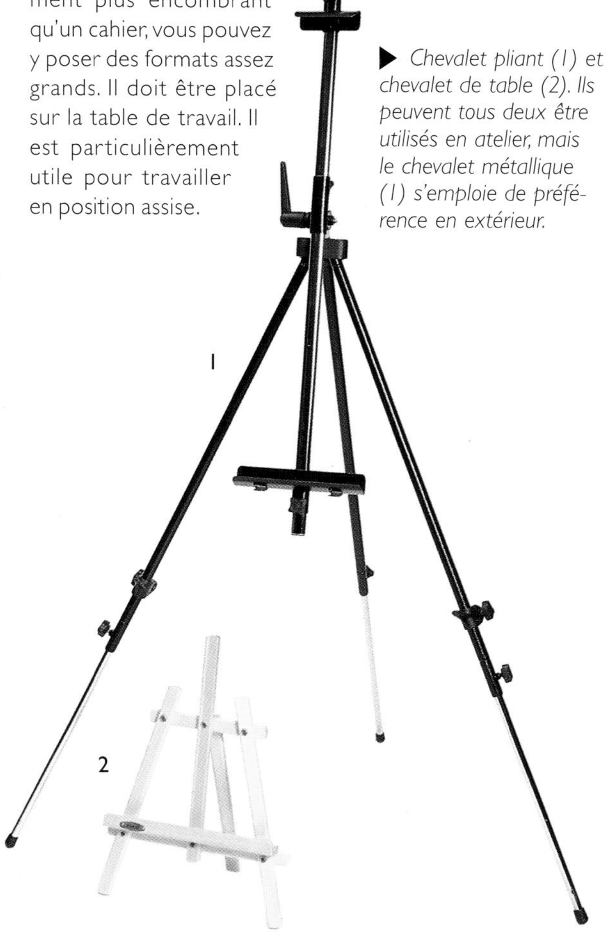

Chevalet pliant (1) et chevalet de table (2). Ils peuvent tous deux être utilisés en atelier, mais le chevalet métallique (1) s'emploie de préférence en extérieur.

BOÎTE-CHEVALET DE PLEIN AIR

L'accessoire idéal du peintre habitué à travailler en plein air est la boîte-chevalet. Bien que cet outil de travail soit beaucoup plus onéreux que les boîtes ou les chevalets vendus séparément, il facilite grandement la mobilité de l'artiste.

Comme son nom l'indique, la boîte-chevalet consiste en un coffret, destiné aux peintures et aux accessoires, auquel sont fixés des pieds et un support réglable pour la planche. La boîte-chevalet est très facile à déplier grâce aux écrous papillon métalliques qu'il suffit d'ajuster dans la position adéquate. Le peintre dispose ainsi d'un petit atelier portable, particulièrement indiqué pour le travail en plein air, et qui lui permet de disposer de tous les accessoires nécessaires.

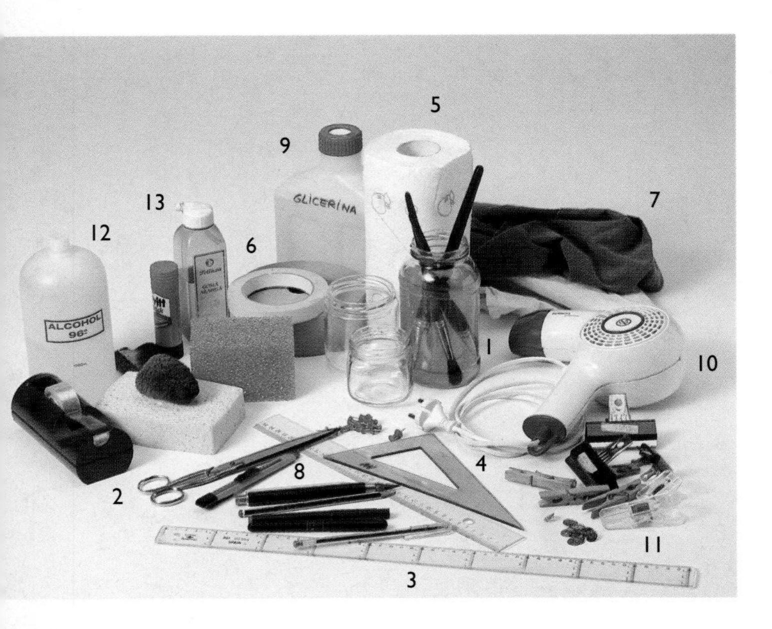

IMPORTANCE DE L'ATELIER

L'artiste doit disposer d'un endroit réservé à la peinture ; il peut s'agir d'une petite pièce, d'une partie d'une pièce plus vaste ou même d'un petit débarras. La lumière est un facteur très important ; l'idéal consiste à travailler dans une pièce disposant d'une bonne fenêtre, mais étant donné que cela n'est pas toujours possible, il suffit, le cas échéant, d'un bon éclairage électrique.

▶ *Il est important que le peintre aménage un coin qui lui soit réservé de façon qu'il puisse travailler à tout moment sans avoir à monter la totalité de son équipement chaque fois qu'il veut peindre. Il n'est pas nécessaire que cet espace soit très grand, mais il doit être pratique. Le peintre doit toujours avoir ses outils, rangés et propres, à portée de la main.*

FOURNITURES COMPLÉMENTAIRES

Les éléments mentionnés jusqu'à présent constituent le matériel de base nécessaire au travail de l'aquarelliste ; néanmoins, s'il progresse dans la pratique de cet art, il nécessitera quelques accessoires supplémentaires. Il est très facile de se procurer la majorité des outils qui accompagnent l'aquarelliste dans l'atelier. Un grand nombre d'entre eux se trouvent dans tous les foyers.

▶ *Pots pour l'eau, les pinceaux, les crayons (1).
Ciseaux et cutter pour couper le papier et les éponges (2).
Règles longues et courtes pour prendre les mesures (3).
Équerres pour couper le papier à angle droit (4).
Rouleau de papier de cuisine ; c'est le matériau le plus efficace pour absorber l'eau (5). Ruban adhésif de bureau et ruban adhésif à l'eau pour fixer le papier, les photographies qui servent de modèles, etc. (6).
Chiffons pour nettoyer ou frotter (7).
Crayons à papier, stylos à bille. N'importe quel matériel de dessin peut être mis à profit par l'aquarelliste (8).
Gomme arabique pour coller le papier (9).
Sèche-cheveux pour accélérer le séchage de l'aquarelle (10).
Pinces et punaises pour fixer le papier au support (11).
Alcool pour accélérer le séchage de l'aquarelle (12).
Glycérine pour retarder le séchage de l'aquarelle (13).*

USAGE DU SÈCHE-CHEVEUX

Le travail de l'aquarelliste se base fréquemment sur la superposition de couleurs. Comme nous le verrons plus loin, il convient souvent d'éviter que la dernière couleur appliquée se mélange à celle de la couche inférieure ; pour obtenir ce résultat, le papier doit être parfaitement sec. Le séchage peut être accéléré à l'aide d'un sèche-cheveux placé à une distance raisonnable du papier.

▼ *Il convient d'utiliser un vieil appareil et non pas nécessairement le sèche-cheveux d'usage courant. Étant donné que l'aquarelle se travaille avec une grande quantité d'eau, prenez soin de ne pas poser le sèche-cheveux sur une surface humide. Le plus prudent est de le débrancher après utilisation.*

THÈME

1 Le lavis

LA COULEUR ET L'EAU

Déposez une quantité moyenne de couleur sur la palette à aquarelle. Étant donné que la couleur en godet doit être prélevée et ramollie à l'aide d'un pinceau mouillé, elle est moins dense et moins concentrée que la couleur en tube au moment où vous la déposez sur la palette. Par leur nature, les couleurs en tube sont plus denses que celles en godets. Après avoir déposé la couleur sur la palette, ajoutez-y de l'eau avec un pinceau. Plus vous ajouterez d'eau, plus le ton obtenu sera transparent.

▶ *Si l'opération qui consiste à déposer la peinture en tube sur la palette est très simple, elle est plus compliquée lorsque la couleur est en pastille. Il vous faut tout d'abord mouiller le pinceau à l'eau, puis humidifier la pastille jusqu'à ce qu'elle soit suffisamment ramollie pour pouvoir déposer la couleur sur la palette. Celle-ci doit, de préférence, être en porcelaine blanche, mais vous pouvez également utiliser le couvercle du coffret.*

COMMENT PRÉLEVER LA COULEUR ET L'ÉTALER SUR LE PAPIER

Après avoir déposé la couleur sur la palette, prélevez-en une petite quantité sur votre pinceau et déposez-la dans un godet. Vous pouvez y ajouter de l'eau pour l'éclaircir un peu plus.

Étalez la couleur, qui ne doit pas être trop mouillée, sur le papier. Lavez votre pinceau dans le récipient prévu à cet effet, égouttez-le, puis étirez légèrement la couleur. Plus vous répéterez cette opération, plus les tons du dégradé seront clairs. ▲

Le lavis constitue une excellente introduction à l'aquarelle. La technique de l'aquarelle est en principe très simple puisqu'il suffit de mouiller la couleur à l'aide d'un pinceau et d'eau, puis de passer le pinceau sur le papier. Nous vous recommandons néanmoins de vous familiariser avec les rudiments du lavis monochrome avant de commencer à utiliser toutes les couleurs. Il vous sera beaucoup plus simple de vous initier aux procédés plus complexes et polychromes lorsque vous aurez exploré les possibilités de la technique appliquée à une seule couleur. Pour le moment, nous allons donc nous y restreindre. Vous pouvez néanmoins utiliser différentes couleurs pour réaliser les exemples fournis, mais sans les mélanger.

DÉGRADÉ SUR FOND MOUILLÉ

Il vous sera plus facile d'obtenir un dégradé si vous avez préalablement mouillé le papier, mais la couleur sera plus difficile à maîtriser :

◀ *Posez le pinceau imprégné de couleur dans la partie supérieure du papier, à l'endroit où vous souhaitez commencer le dégradé. La couleur s'étale facilement sur le fond mouillé. Plus vous étalerez la couleur, plus le ton sera clair.*

◀ *Mouillez la zone dans laquelle vous allez réaliser le dégradé à l'aide du pinceau propre. L'eau transporte la couleur et celle-ci s'étale donc sur toute la zone mouillée.*

FUSION DU TON

Le lavis se base apparemment sur une technique très simple ; en principe, elle consiste uniquement à prélever de la couleur à l'aide d'un pinceau mouillé, puis à l'appliquer sur le papier et à y ajouter de l'eau pour obtenir un dégradé qui fusionne avec le fond lorsqu'il n'existe pas de différence marquée entre ce fond et le blanc du papier.

Comme nous l'avons vu précédemment, la couleur obtenue avec la brosse peut être assez foncée (particulièrement s'il s'agit de couleur en tube). Si la couleur est très dense, le ton obtenu peut être assez opaque pour masquer complètement le fond du papier.

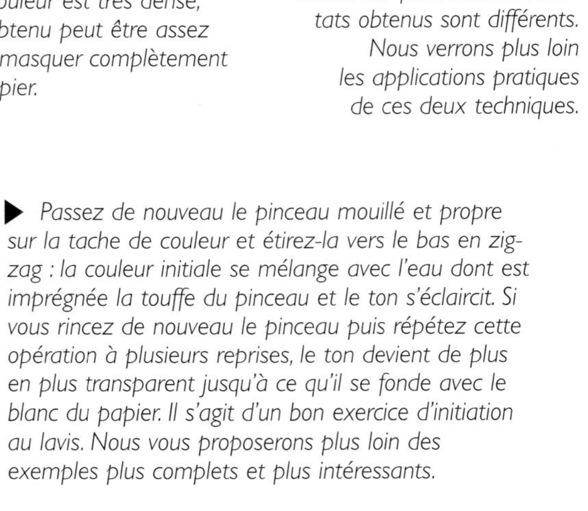

Comme dans le cas du dégradé précédent, nous vous conseillons de vous exercer sur un fond préalablement humidifié. C'est le cas du dégradé de droite, alors que le dégradé de gauche a été réalisé sur fond sec. Les résultats obtenus sont différents. Nous verrons plus loin les applications pratiques de ces deux techniques.

Passez de nouveau le pinceau mouillé et propre sur la tache de couleur et étirez-la vers le bas en zigzag : la couleur initiale se mélange avec l'eau dont est imprégnée la touffe du pinceau et le ton s'éclaircit. Si vous rincez de nouveau le pinceau puis répétez cette opération à plusieurs reprises, le ton devient de plus en plus transparent jusqu'à ce qu'il se fonde avec le blanc du papier. Il s'agit d'un bon exercice d'initiation au lavis. Nous vous proposerons plus loin des exemples plus complets et plus intéressants.

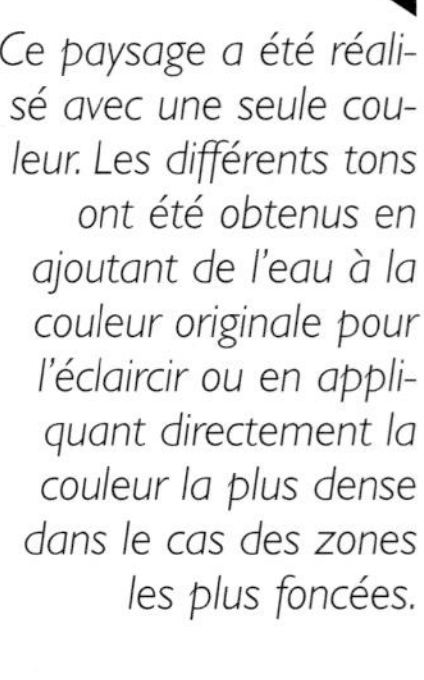

Ce paysage a été réalisé avec une seule couleur. Les différents tons ont été obtenus en ajoutant de l'eau à la couleur originale pour l'éclaircir ou en appliquant directement la couleur la plus dense dans le cas des zones les plus foncées.

LE BLANC DU PAPIER

La densité et la luminosité de la couleur varient en fonction de la quantité d'eau ajoutée sur la palette. Moins la couleur contient d'eau, plus elle est opaque ; il est facile d'en déduire que la couleur blanche n'existe pas dans le domaine de l'aquarelle et qu'elle peut uniquement provenir du papier.

▼ *Plus vous ajoutez de couleur dans un verre d'eau, plus la présence de cette couleur est évidente et plus la transparence de l'eau diminue. C'est exactement ce qui se produit dans le cas de l'aquarelle : le blanc du papier n'est visible que lorsque la transparence est maximale. Au fur et à mesure que vous réduisez la transparence, la couleur devient plus opaque et moins lumineuse.*

▼ *Pour obtenir le ton le plus foncé, ajoutez uniquement la quantité d'eau nécessaire pour pouvoir étaler la couleur. Plus vous ajouterez d'eau, plus le ton obtenu sera clair. Vous remarquerez que le ton le plus clair est aussi le plus transparent. Le blanc correspond à la couleur du papier.*

Ce superbe paysage enneigé est un travail d'une grande complexité technique, mais est un parfait exemple de l'utilité de la transparence de l'aquarelle. Étant donné que la couleur blanche n'existe pas, les divers tons proviennent du lavis des différentes couleurs. La luminosité maximale pouvant être obtenue correspond à la couleur blanche du papier. C'est également l'une des raisons pour lesquelles les papiers de couleur ne s'emploient pas en aquarelle. ▲

Voici un exercice qui vous permettra de vous exercer au dessin au pinceau et au dégradé de couleur. Ne vous inquiétez pas si le résultat obtenu lors de ces premiers essais diffère du modèle. L'important est de répéter cet exercice et de vous rapprocher de l'image d'origine. Si la forme obtenue n'est pas identique, ce n'est pas grave, concentrez-vous uniquement sur la façon d'utiliser le pinceau en tant qu'outil de dessin, et comme nous l'avons vu précédemment, sur la réalisation de dégradés monochromes pour étudier les tons.

▶ **1.** *Dessinez les contours de ce fruit ; le trait doit être continu et constant. Cela étant fait, peignez les touches de couleur intérieures en utilisant le même ton, mais en y ajoutant une petite quantité d'eau.*

▶ **2.** *Continuez à peindre l'intérieur de la poire, mais ne couvrez pas la totalité de la surface, laissez une petite réserve en blanc pour simuler le reflet. Avant que la couleur soit sèche, mouillez le pinceau dans un ton plus foncé et tracez l'arrondi intérieur. Le nouveau ton se mêlera très rapidement aux autres car le fond est encore humide.*

▼ **3.** *Égouttez le pinceau et affinez la répartition de la couleur à coups de pinceau délicats. Ajoutez une petite quantité de couleur dans les zones les plus foncées du modèle (sans diluer excessivement). Cet exemple est une application pratique d'un dégradé à partir d'un dessin direct au lavis.*

LE DESSIN ET LE LAVIS

Bien que le lavis s'effectue à l'aide d'aquarelle, cette technique est étroitement liée au dessin. Que vous ayez de l'expérience dans le domaine du dessin ou non, vous constaterez que les solutions qui peuvent être obtenues grâce à la technique du lavis sont comparables avec celles issues du dessin. Le dégradé équivaut au dessin à l'estompe et dans les deux cas, la monochromie permet d'obtenir une grande diversité de tons. Le lavis offre non seulement la possibilité de réaliser des dégradés, mais aussi, tout comme un crayon, des dessins linéaires.

Cet exemple montre que la technique du lavis vous permet d'aborder les traits d'une façon très proche du dessin. Les exercices de ce type sont particulièrement conseillés pour se familiariser avec les différentes possibilités du pinceau et de la peinture. ▲

Paysage au lavis

Selon la quantité d'eau ajoutée, le lavis permet d'obtenir différents tons à partir d'une seule couleur. Si vous avez bien compris les procédés expliqués précédemment, vous ne rencontrerez aucune difficulté pour réaliser cet exercice. Avant de commencer à peindre, nous vous conseillons de revoir attentivement les points développés dans la partie théorique de cette leçon.

MATÉRIEL NÉCESSAIRE

Aquarelle et palette (1), papier à aquarelle à grain moyen (2), pinceaux à aquarelle (3), crayon à papier (4), ruban adhésif (5), support pour fixer le papier (6), récipient pour l'eau (7) et chiffon (8).

1. *Il vous suffira d'appliquer, pas à pas, les concepts de base expliqués jusqu'à présent. Cela vous permettra de peindre un très beau paysage de façon très simple. Dessinez tout d'abord les contours au crayon. Il n'est pas nécessaire que le dessin soit exactement identique à l'exemple ci-contre, mais il doit être similaire. Tracez une ligne droite dans la partie inférieure du papier. Esquissez ensuite une maison et des arbres sur cette ligne. Au-dessus de ceux-ci, dessinez une première ligne de montagnes, puis un peu plus haut, le contour des montagnes les plus élevées.*

2. *Comme nous l'avons vu au début de ce thème, il convient d'appliquer un dégradé de couleur très étendu sur le fond. Pour ce faire, humidifiez tout d'abord la totalité de la feuille à l'aide d'un pinceau imprégné d'eau propre. Avant que le papier soit sec, trempez le pinceau dans la couleur terre de Sienne et tracez une bande de couleur sur toute la largeur de la zone supérieure. Le papier étant humide, la couleur s'étend. Lavez le pinceau et égouttez-le, puis passez-le de nouveau sur la couleur de façon à ce qu'elle s'étale ; répétez cette opération jusqu'à ce que vous ayez obtenu le premier dégradé. Trempez le pinceau dans un ton légèrement plus foncé pour peindre les montagnes qui se trouvent au dernier plan.*

Ne peignez pas la zone qui doit rester blanche ; elle doit être isolée des coups de pinceau. Pour éviter de la tacher de peinture, ne la mouillez pas lors de la préparation de la feuille.

3. *Accordez un moment d'attention aux étapes précédentes : vous avez peint le dégradé du ciel, puis les montagnes du fond. La zone du ciel était encore humide lorsque vous avez peint les montagnes et le ton de celles-ci, plus foncé, s'est étendu sur le ciel au niveau des contours.*

Faites attention à la quantité d'eau dont vous imprégnez le pinceau. Évitez que l'eau s'étale de façon excessive.

4. *Prélevez une petite quantité de couleur sur la palette. Le ton que vous souhaitez obtenir est foncé, mais il ne doit pas être d'une densité maximale ; le pinceau ne doit donc pas être trop imbibé d'eau, mais il ne doit pas non plus être totalement sec. Peignez la première ligne de montagne, la plus proche. Le fond est maintenant beaucoup plus sec et le nouveau ton ne s'unit pas à celui de la montagne que vous avez peinte précédemment. Ne peignez pas les zones qui correspondent aux arbres et à la maison. Tracez une longue bande de couleur rectiligne au premier plan.*

5. *Comme vous pouvez le constater, le travail est jusqu'à présent très simple. Il ne comporte pas d'autre difficulté que le choix du ton, clair ou foncé ; pour l'éclaircir, il vous suffit d'ajouter de l'eau et pour l'assombrir, de prendre une couleur plus pure. Le dessin est le principal élément de référence pour chacune des zones ; cela sera une constante tout au long des travaux à l'aquarelle. Prenez un ton foncé, très peu dilué, et peignez les arbres du centre avec la pointe du pinceau. Ne peignez pas la totalité de la zone réservée, laissez la partie supérieure des arbres en blanc.*

6. *Avec le ton foncé que vous avez utilisé pour les arbres du centre, peignez ceux de la zone qui se trouve à droite. Ils doivent être traités différemment puisqu'ils combinent deux tons foncés. Délimitez la forme de la maison à l'aide de ces tons foncés.*

Le dessin initial sert de point de référence pour le travail à l'aquarelle. Il est fondamental que les lignes, bien que discrètes, soient correctement situées avant de commencer à peindre.

7. *Augmentez le contraste (le ton foncé) de la partie de la montagne qui se trouve à gauche du tableau ; utilisez pour ce faire le ton foncé que vous avez employé pour peindre les arbres. Finissez également de peindre les arbres restants à droite. Attendez quelques minutes, jusqu'à ce que la couleur soit totalement sèche. Peignez ensuite la maison dans une tonalité très claire et en laissant le pan triangulaire du mur en blanc. Attendez de nouveau quelques minutes, jusqu'à ce que cette couche de couleur soit sèche, puis peignez le ton le plus foncé correspondant aux murs qui se trouvent dans l'ombre. Vous pouvez ensuite peindre les tons foncés sans qu'ils se mélangent ou que leurs contours se fondent avec les tons précédents. Le dessin initial vous permet de peindre avec précision car il indique les limites des coups de pinceau.*

8. Résolvez les contrastes les plus foncés. Le ton doit être le plus proche possible de la couleur non diluée. Cela ne pose aucun problème si vous utilisez de l'aquarelle en tube car la couleur est molle et pâteuse ; elle est si malléable qu'il vous suffit d'humidifier très légèrement le pinceau pour qu'elle y adhère. Par contre, si vous utilisez de l'aquarelle dure en godet, il vous faudra insister assez longtemps en diluant très peu la couleur pour obtenir la densité souhaitée.

SCHÉMA - RÉSUMÉ

Le fond est constitué d'un lavis dégradé ; la zone correspondante a tout d'abord été humidifiée, puis une longue bande de couleur foncée y a été tracée avant que le papier soit sec. Après avoir été rincé, le pinceau a été passé à plusieurs reprises sur la couleur pour étaler le ton.

Si la couche supérieure est appliquée lorsque **le ton inférieur** n'est pas totalement sec, les limites se fondent entre elles.

Les tons très foncés ne contiennent pratiquement pas d'eau. Le pinceau doit être légèrement humide pour que la couleur y adhère et qu'il soit possible de le faire glisser à la surface du papier.

Le ton le plus foncé s'obtient en ajoutant moins d'eau à la couleur.

Les blancs correspondent à la couleur du papier.

THÈME

2

La théorie des couleurs appliquée à l'aquarelle

LE LAVIS À TROIS COULEURS

Les trois couleurs de base, ou primaires, sont le jaune, le magenta et le cyan. Leur mélange permet d'obtenir toutes les autres couleurs. Vous pouvez peindre uniquement avec les couleurs primaires sans qu'elles se mélangent. Les couleurs pures se travaillent comme s'il s'agissait de lavis indépendants de trois couleurs différentes. En réalité, cela n'est pas totalement exact puisque le lavis s'exécute avec une seule couleur ou un mélange de deux couleurs. Nous reviendrons plus tard sur cette question.

Le nombre de couleurs peut être infini, mais chacune d'entre elles est uniquement composée des trois couleurs de base appelées couleurs primaires : le jaune, le magenta et le cyan. Le mélange de deux couleurs primaires donne une couleur secondaire. Tout bon amateur doit savoir comment les différentes couleurs agissent les unes sur les autres. Cela vous permettra non seulement de disposer d'une bonne palette, mais aussi d'étudier et de prévoir les effets des ajouts de nuances sur vos tableaux pour éviter d'éventuelles surprises.

▶ 1. *Déposez les trois couleurs primaires sur votre palette ; elles doivent être suffisamment séparées pour éviter tout mélange. Nous vous proposons tout d'abord de réaliser un exercice simple qui vous rappellera ceux du chapitre précédent. Il consiste à réaliser un dégradé de chaque couleur de la palette pour déterminer les possibilités de ton de chacune d'entre elles. Commencez par la couleur la plus lumineuse, le jaune. Humidifiez le pinceau, étalez une petite quantité de couleur et trempez-y la touffe du pinceau.*

2. *Exécutez un dégradé de couleur jaune ; c'est le plus lumineux des trois car il s'agit de la couleur la plus claire et de celle qui reflète le mieux la lumière. Peignez les deux autres dégradés, de magenta et de cyan, sans que les couleurs se mélangent sur la palette. Vous obtiendrez une gamme étendue de tons à partir de ces trois couleurs.*

▲

3. *La dernière partie de cet exercice consiste à peindre une simple fleur sans que les couleurs se mélangent. Cela peut vous sembler difficile car les tons humides ont tendance à se mélanger, ce qui provoque l'apparition de nouvelles couleurs. Quelles sont les couleurs obtenues à partir de ces mélanges ?*

▲

DEUX COULEURS SUR LA PALETTE

Le mélange de deux couleurs donne une troisième couleur, mais la pureté de celle-ci dépend de la quantité de chacune des couleurs qui la compose. Dans la technique du lavis à deux couleurs, la couleur résultant du mélange peut être différente de celles qui l'ont générée ; en conjuguant le dégradé et le changement de couleur, vous pouvez également créer des couleurs intermédiaires qui changeront peu à peu jusqu'à ce qu'elles se convertissent en la couleur définitive du mélange.

▶ **1.** *Déposez les couleurs sur la palette, puis déplacez une partie de l'une de ces couleurs vers le centre de la palette à l'aide d'un pinceau. Nettoyez-le, puis répétez cette opération avec l'autre couleur. Lorsque ces deux couleurs se mélangent, elles donnent naissance à une troisième couleur, différente des deux premières.*

▶ **2.** *Si vous modifiez la proportion de l'une des deux couleurs, la couleur résultante aura tendance à se rapprocher de celle qui, en quantité, domine le mélange. Vous pouvez modifier l'opacité de ce mélange en y ajoutant plus ou moins d'eau. Plus vous ajouterez d'eau, plus les tons seront lumineux et clairs.*

3. *Nous vous conseillons de réaliser des essais sur papier car les tons que vous obtiendrez sur la palette ne seront jamais totalement exacts ; le résultat sera plus probant sur le papier car il vous permettra de vérifier la couleur obtenue après séchage complet.*

▼

▼ *À partir des couleurs obtenues par mélange, vous pouvez créer une riche palette de tons qui est en réalité beaucoup plus complète car tous les tons intermédiaires, ainsi que l'éventail des possibilités offertes par l'intensité de chaque couleur en fonction de sa transparence sur le papier viennent s'y ajouter.*

Voici un exercice utile pour comprendre la transition d'une couleur à l'autre. Ajoutez de petites quantités de couleur secondaire à la couleur primaire. Vous pouvez constater l'effet obtenu sur chacun des dégradés.

▲

COULEURS SECONDAIRES

Nous avons jusqu'à présent étudié la peinture avec une seule couleur, avec les couleurs primaires et avec le mélange de deux couleurs. Le mélange de deux couleurs primaires donne une couleur secondaire. Au début, le principe du mélange des couleurs peut sembler difficile à comprendre, mais avec un peu de pratique, vous le dominerez sans difficulté. Nous vous conseillons de réaliser les essais qui figurent sur cette page car la théorie est toujours beaucoup plus facile à comprendre lorsqu'elle se pratique.

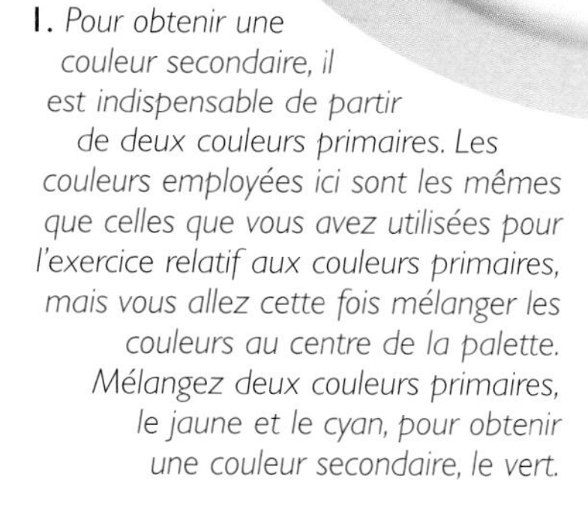

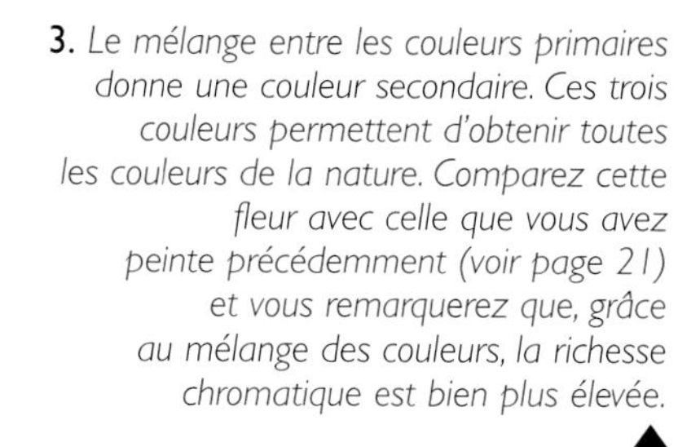

◀ 1. *Pour obtenir une couleur secondaire, il est indispensable de partir de deux couleurs primaires. Les couleurs employées ici sont les mêmes que celles que vous avez utilisées pour l'exercice relatif aux couleurs primaires, mais vous allez cette fois mélanger les couleurs au centre de la palette. Mélangez deux couleurs primaires, le jaune et le cyan, pour obtenir une couleur secondaire, le vert.*

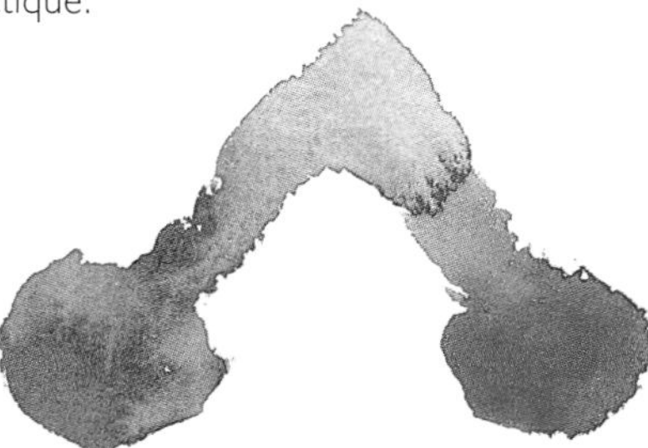

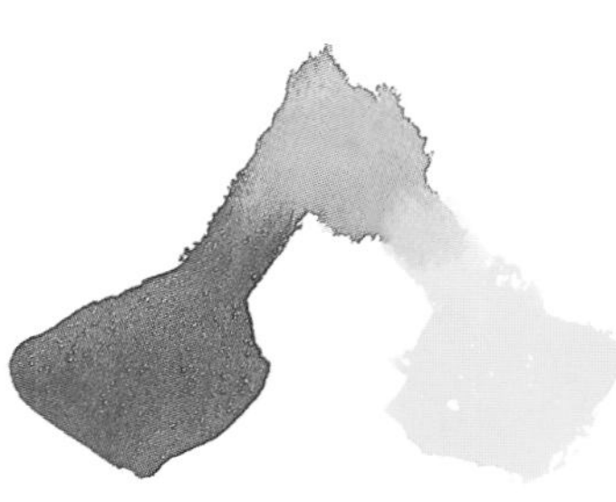

▼ 2. *Vous pouvez vous exercer à obtenir des couleurs secondaires sur la palette, mais il est toujours préférable d'essayer sur du papier. Cet exemple montre trois possibilités. La première est un mélange de jaune et de magenta, qui donne de l'orange, une couleur secondaire. La seconde est un mélange de jaune et de cyan, qui donne du vert, une autre couleur secondaire. La dernière est un mélange de magenta et de cyan, et le résultat est du violet, qui est aussi une couleur secondaire.*

3. *Le mélange entre les couleurs primaires donne une couleur secondaire. Ces trois couleurs permettent d'obtenir toutes les couleurs de la nature. Comparez cette fleur avec celle que vous avez peinte précédemment (voir page 21) et vous remarquerez que, grâce au mélange des couleurs, la richesse chromatique est bien plus élevée.* ▲

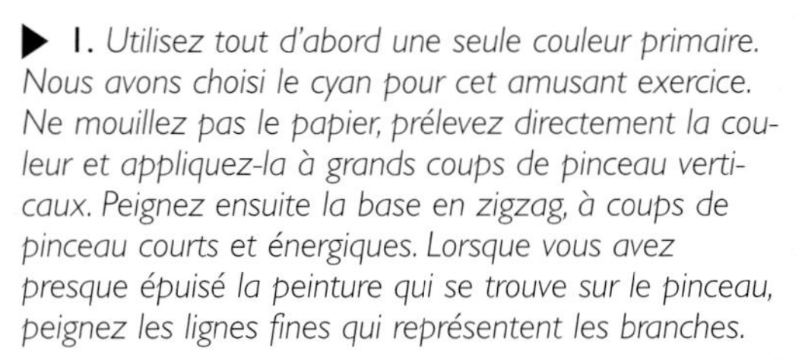

▶ 1. *Utilisez tout d'abord une seule couleur primaire. Nous avons choisi le cyan pour cet amusant exercice. Ne mouillez pas le papier, prélevez directement la couleur et appliquez-la à grands coups de pinceau verticaux. Peignez ensuite la base en zigzag, à coups de pinceau courts et énergiques. Lorsque vous avez presque épuisé la peinture qui se trouve sur le pinceau, peignez les lignes fines qui représentent les branches.*

DE LA MONOCHROMIE À LA RICHESSE CHROMATIQUE

Au début, il convient de jouer avec les couleurs, tant sur la palette que sur le papier. La monochromie est une technique propre au lavis ; plus vous ajouterez de couleurs à votre palette d'origine, plus vous aurez de possibilités de mélanges, mais vous pouvez déjà disposer d'une gamme étendue de couleurs en utilisant uniquement les trois primaires. Cet exercice résume les principales notions relatives à la couleur : premièrement, une seule couleur, ensuite, la somme de deux couleurs et, enfin, l'intervention des trois couleurs primaires qui donnent naissance à toutes les couleurs de l'arc-en-ciel.

▶ 2. *Immédiatement après avoir peint le cyan et avant que la couleur soit totalement sèche, prélevez du jaune sur votre palette et commencez à peindre le fond. Le mélange qui provient du contact du jaune avec la première couleur primaire donne une couleur secondaire ; dans les zones qui correspondent à l'herbe et aux endroits où le jaune se mélange au cyan des branches, cette couleur secondaire est le vert. Peignez ensuite une frange épaisse de magenta dans la partie gauche. Appliquez du jaune autour du magenta, dans certains endroits en faible quantité et dans d'autres plus largement. Le résultat du mélange de magenta et de jaune donne une grande variété de tons orange, une autre couleur secondaire.*

▶ 3. *Déposez du bleu sur le magenta qui se trouve sur votre palette ; vous obtenez une autre couleur secondaire, le violet. Utilisez différents tons de violet pour peindre les arbres qui se trouvent sur la gauche et assombrir le tronc de celui qui est à droite.*

pas à pas

Peindre un bouquet à l'aide de trois couleurs

Aucun sujet n'est plus indiqué pour une première étude de la couleur qu'un petit bouquet de fleurs. Les couleurs primaires sont le jaune, le cyan et le magenta ; ces couleurs donnent naissance à toutes les couleurs existantes. Bien que nous ayons choisi un bouquet présentant une grande variété de couleurs et de tons, n'utilisez que les trois couleurs de base sur votre palette. Avec un petit effort, vous pourrez obtenir toutes les couleurs de cette nature morte.

MATÉRIEL NÉCESSAIRE

Papier à aquarelle (1), assiette blanche (2), aquarelles jaune (3), magenta (4) et cyan (5), crayon à papier (6), pinceau à aquarelle (7) et récipient rempli d'eau (8).

1. *Dessinez le bouquet le plus précisément possible. L'aquarelle est transparente et le dessin vous servira de référence pour peindre les zones de couleur correspondantes. Le dessin ne doit comporter ni ombre, ni détail excessif ; il doit être exact et concis, mais chacune des zones à peindre doit être définie. Après avoir dessiné les fleurs, mélangez du bleu et du magenta sur votre palette ; peignez les fleurs supérieures avec la couleur obtenue à partir de ce mélange, c'est-à-dire du violet. Utilisez deux couleurs d'intensités différentes, l'une contenant beaucoup de magenta et peu d'eau, et l'autre plus transparente.*

2. Commencez à peindre les fleurs de couleur magenta avec de la couleur pure, puis utilisez un magenta assez dilué pour les fleurs plus claires et rosâtres ; peignez les fleurs plus foncées avec la même couleur, mais moins diluée. Étant donné que la seule façon dont vous puissiez obtenir du blanc consiste à utiliser la couleur du papier, vous devrez délimiter la forme de la marguerite au pinceau.

Après avoir préparé la couleur sur la palette, vous pouvez augmenter sa transparence en y ajoutant de l'eau à l'aide du pinceau.

3. Pour obtenir un vert jaunâtre, mélangez du jaune et du cyan. Si vous voulez que le ton tire plus sur le jaune, il vous suffit d'y ajouter moins de bleu. Pour dominer les proportions du mélange, commencez toujours par la couleur la plus claire, puis ajoutez de petites quantités de couleur foncée. Cela vous permettra de maîtriser l'intensité du ton.

4. Pour obtenir du vert, mélangez du jaune et du bleu. En y ajoutant une petite quantité de rouge, vous obtiendrez un ton marron. Peignez toute la surface du fond avec cette couleur très diluée, mais en prenant garde à ce qu'elle ne se mélange pas aux couleurs appliquées précédemment ; vous devez donc attendre que celles-ci soient totalement sèches. Ne mordez pas sur les parties du fond que vous devrez ensuite peindre avec des couleurs claires ou très lumineuses, ni sur les zones qui doivent rester en blanc.

5. *Comme vous l'avez fait précédemment, mélangez du magenta et du bleu sur votre palette pour obtenir du violet ; le ton devant être beaucoup plus foncé et très dense, il est préférable d'utiliser des aquarelles en tube. Dans ce cas précis, le violet tire sur le magenta. Utilisez ce mélange pour peindre les fleurs supérieures. Commencez ensuite à peindre les zones claires des fleurs avec du jaune très pur, peu dilué.*

Le mélange de deux couleurs primaires donne une couleur secondaire. Ainsi, le jaune mélangé au cyan donne du vert ; le jaune mélangé au magenta donne de l'orange ; le magenta mélangé au cyan donne du violet.

6. *Voici la palette telle qu'elle se présente à ce stade du travail ; notez comme les couleurs se mélangent. Dans la zone gauche, se trouve la couleur verte utilisée pour les tiges. Plus à droite, au-dessus la tache bleue, se trouve une tache jaune, employée dans ce cas pour obtenir un vert beaucoup plus foncé. Les couleurs beaucoup plus liquides se trouvent dans le centre de la palette. Vous remarquerez également que le bord de la palette est taché : c'est à cet endroit que le pinceau a été égoutté.*

7. *Les tiges et les feuilles des fleurs doivent être peintes dans deux tonalités de vert : une première tonalité très lumineuse à dominante jaune et une seconde tonalité plus foncée et plus dense, obtenue en ajoutant une plus grande quantité de bleu et un soupçon de magenta. C'est à partir de ce mélange, en y ajoutant du jaune, que vous obtiendrez également les différents tons d'orange avec lesquels vous peindrez les fleurs de la zone inférieure. Appliquez tout d'abord les couleurs orangées, puis avant qu'elles soient sèches, superposez-y de petites touches de magenta qui vont se fondre délicatement sur l'orange. Peignez ensuite les pétales des fleurs de la zone supérieure avec un violet obtenu en mélangeant du magenta et du cyan. Appliquez enfin du magenta presque pur, très peu dilué, sur les pétales les plus foncés des fleurs rougeâtres.*

8. Finissez de peindre les fleurs de la zone inférieure avec du magenta. Vous devrez lui superposer un ton encore plus foncé ; pour ce faire, ajoutez un soupçon de bleu au magenta sur votre palette. Pour peindre le vase, mélangez du magenta et du jaune : vous obtiendrez une couleur orangée. Ajoutez-y une petite quantité de bleu : le mélange prend une couleur marron, que vous utiliserez pour réaliser le dégradé du vase, de droite à gauche. Ne peignez pas la partie qui correspond au reflet.
Le motif floral, peint uniquement avec les trois couleurs primaires, est terminé.

SCHÉMA-RÉSUMÉ

Cette **couleur jaune** est totalement pure. Elle ne doit pas être appliquée avant que les autres couleurs soient parfaitement sèches car elle risquerait d'être salie.

Couleur verte obtenue en mélangeant du cyan et du jaune.

Couleur orange obtenue en mélangeant du magenta et du jaune.

Violet lumineux. Le violet a tout d'abord été obtenu en mélangeant du cyan et du magenta. Il a ensuite été éclairci à l'eau sur la palette.

Violet foncé, tirant sur le magenta, obtenu en ajoutant une plus grande quantité de magenta. La couleur a été très peu diluée pour éviter tout phénomène de transparence.

THÈME

3 Les gammes chromatiques

LA GAMME FROIDE

Les couleurs peuvent être regroupées en familles en fonction de leur température chromatique. Une gamme chromatique est un ensemble de couleurs apparentées formant une harmonie. Un dégradé monochrome est une gamme harmonique tonale de la couleur employée. Si, à côté de ce dégradé, vous placez des couleurs similaires ou des couleurs contenant celle du dégradé, vous obtenez une gamme chromatique ou harmonique. En définitive, une gamme harmonique est composée de couleurs regroupées en fonction de critères à partir desquels on détermine si elles sont froides, chaudes ou éteintes.

▼ *La gamme des couleurs froides est composée des couleurs qui vont du jaune au bleu le plus foncé. Elle comprend les mélanges de jaune et de cyan et, en conséquence, une grande variété de jaunes, de verts et de bleus. Viennent s'y ajouter les mélanges qui contiennent de petites quantités de magenta, qui transforment le bleu en violet. Il convient également de tenir compte des possibilités de transparence, obtenues par ajout d'eau, qui viennent compléter la gamme chromatique. Il est important de réaliser ces essais et ces mélanges simples pour bien comprendre la nature des couleurs.*

Des couleurs étrangères aux gammes chromatiques peuvent intervenir dans celles-ci. Il est par exemple possible d'inclure du vert dans une gamme chromatique chaude pour obtenir des verts jaunâtres ou des verts plus chauds.

◀ 1. *Peignez le ciel de ce paysage avec une couleur issue d'un mélange de bleu et de vert. Ne peignez pas la zone qui correspond aux nuages, elle doit conserver la couleur du papier. Utilisez un violet bleuté très foncé pour peindre la zone intermédiaire.*

◀ 2. *Peignez la partie inférieure avec un vert assez transparent, sur lequel vous appliquerez différents tons de bleu de cobalt ; vous obtiendrez ainsi un premier plan beaucoup plus foncé que la couleur précédente. Avec ce même bleu, peignez les arbres et le mur de la maison qui se trouve dans l'ombre. N'appliquez pas de peinture sur le mur blanc : il reflétera ainsi toute la luminosité du papier. Vous remarquerez que, dans ce cas, nous avons uniquement utilisé des couleurs froides de différentes gammes et intensités ; c'est ce que l'on appelle une gamme harmonique froide.*

LA GAMME CHAUDE

La gamme des couleurs chaudes est composée des couleurs rouges, magenta et jaunes, et de leurs mélanges. Comme dans le cas de la gamme des couleurs froides, à laquelle on peut ajouter du rouge pour obtenir du violet, la gamme de couleurs chaudes peut être complétée par du bleu pour nuancer certains tons chauds ou pour créer du vert à tendance chaude.

▶ *Ci-contre, un bon exemple de gamme chaude. Il ne s'agit pas forcément de couleurs pures, mais la majorité d'entre elles possèdent une tendance harmonique commune. Même le vert n'est pas excessivement froid. Pour amortir le contraste avec le reste de la gamme, il a été mélangé avec du jaune et une petite quantité d'orange. Des couleurs d'autres gammes chromatiques peuvent intervenir dans une gamme chaude, à condition qu'elles ne soient pas dominantes.*

▶ 1. *Mélangez du rouge et du jaune pour obtenir l'orange très lumineux avec lequel vous peindrez le ciel de ce paysage simple. Peignez la partie droite avec une couleur terre de Sienne. Les couleurs terre appartiennent à la gamme chaude, bien que certaines d'entre elles, dont les oxydes de vert, se rapprochent de la gamme froide. Utilisez du vert pour peindre la zone inférieure. Ce vert doit préalablement être mélangé avec de l'orange pour obtenir un ton proche de l'ocre et rester ainsi dans la même gamme chromatique.*

Les couleurs complémentaires sont celles qui sont opposées sur le cercle chromatique. Les couleurs complémentaires se renforcent et leur confrontation crée un contraste visuel très fort ; le jaune et le bleu intense, le magenta et le vert, le cyan et le rouge sont des couleurs complémentaires. Ces couleurs s'emploient dans toutes les gammes chromatiques pour obtenir des effets de contraste et rompre la monotonie.

▶ **2.** *Peignez le fond avec une couleur terre de Sienne à laquelle vous aurez ajouté une petite quantité de rouge, puis appliquez le ton presque noir qui sépare les plans, sauf sur les zones qui correspondent aux troncs des arbres. Peignez le chemin avec de l'ocre. Appliquez ensuite un vert légèrement plus foncé, mais pas totalement froid, sur la zone verdâtre. Appliquez une couleur terre de Sienne sur quelques-unes de ces zones vert foncé pour que le ton soit plus chaud. Enfin, peignez les troncs des arbres avec les couleurs foncées de la palette. Appliquez de petites touches de vert légèrement orangé sur les cimes des arbres.*

LES COULEURS ÉTEINTES

On appelle couleur éteinte une couleur cassée, indéfinie et grisâtre. Une couleur éteinte est en réalité une couleur « sale », obtenue en mélangeant deux couleurs secondaires ou une couleur secondaire et une couleur primaire. Cette gamme chromatique est très ambiguë et peut être incluse dans la gamme harmonique froide comme dans la gamme harmonique chaude.

1. *Nous vous proposons ici un exercice simple à base de couleurs éteintes. Mélangez une couleur violacée et une petite quantité de vert pour obtenir un ton brun. Préparez un dégradé très clair et peignez un ciel légèrement sale. Salissez la couleur magenta avec une petite quantité de terre de Sienne et utilisez ce mélange pour peindre la frange intermédiaire, mais sans empiéter sur les zones qui devront être peintes ultérieurement avec une autre couleur. Mélangez du vert et de l'ocre pour obtenir un vert éteint ; diluez-le sur la palette et appliquez-le sur toute la partie qui se trouve au premier plan.*

▲

Les couleurs éteintes proviennent d'un mélange de deux couleurs secondaires. Un mélange de magenta et de jaune donne par exemple de l'orange. Si vous y ajoutez du vert, vous obtiendrez une tonalité terreuse éteinte. Vous pouvez aussi salir un bleu foncé en ajoutant une petite quantité de marron au mélange. Les couleurs terre sont idéales pour obtenir des gammes de couleurs éteintes à l'aquarelle.

◀ *Les couleurs du haut sont celles qui sont à l'origine des taches de la partie inférieure. Il convient d'effectuer ces essais sur la palette et sur du papier.*

▼ **2.** *Laissez sécher les taches grisâtres appliquées précédemment de façon à pouvoir leur superposer d'autres tons sans que les couches se mélangent. Sur votre palette, ajoutez une petite quantité de bleu et de vert légèrement plus foncé au vert que vous avez utilisé précédemment. Si la couleur obtenue s'avère trop propre, ajoutez-y de l'ocre pour casser le ton.*

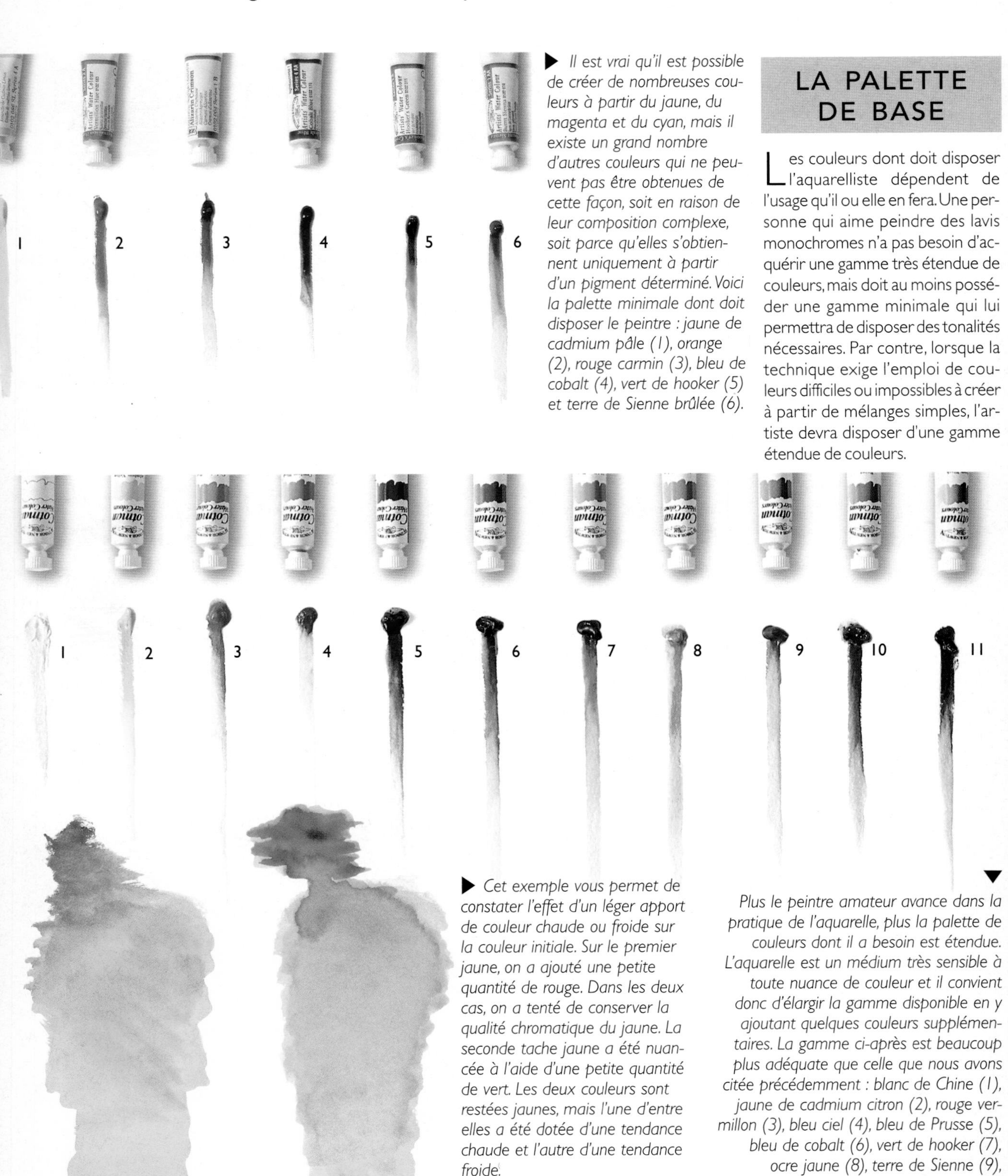

▶ *Il est vrai qu'il est possible de créer de nombreuses couleurs à partir du jaune, du magenta et du cyan, mais il existe un grand nombre d'autres couleurs qui ne peuvent pas être obtenues de cette façon, soit en raison de leur composition complexe, soit parce qu'elles s'obtiennent uniquement à partir d'un pigment déterminé. Voici la palette minimale dont doit disposer le peintre : jaune de cadmium pâle (1), orange (2), rouge carmin (3), bleu de cobalt (4), vert de hooker (5) et terre de Sienne brûlée (6).*

LA PALETTE DE BASE

Les couleurs dont doit disposer l'aquarelliste dépendent de l'usage qu'il ou elle en fera. Une personne qui aime peindre des lavis monochromes n'a pas besoin d'acquérir une gamme très étendue de couleurs, mais doit au moins posséder une gamme minimale qui lui permettra de disposer des tonalités nécessaires. Par contre, lorsque la technique exige l'emploi de couleurs difficiles ou impossibles à créer à partir de mélanges simples, l'artiste devra disposer d'une gamme étendue de couleurs.

▶ *Cet exemple vous permet de constater l'effet d'un léger apport de couleur chaude ou froide sur la couleur initiale. Sur le premier jaune, on a ajouté une petite quantité de rouge. Dans les deux cas, on a tenté de conserver la qualité chromatique du jaune. La seconde tache jaune a été nuancée à l'aide d'une petite quantité de vert. Les deux couleurs sont restées jaunes, mais l'une d'entre elles a été dotée d'une tendance chaude et l'autre d'une tendance froide.*

▼ *Plus le peintre amateur avance dans la pratique de l'aquarelle, plus la palette de couleurs dont il a besoin est étendue. L'aquarelle est un médium très sensible à toute nuance de couleur et il convient donc d'élargir la gamme disponible en y ajoutant quelques couleurs supplémentaires. La gamme ci-après est beaucoup plus adéquate que celle que nous avons citée précédemment : blanc de Chine (1), jaune de cadmium citron (2), rouge vermillon (3), bleu ciel (4), bleu de Prusse (5), bleu de cobalt (6), vert de hooker (7), ocre jaune (8), terre de Sienne (9), terre d'ombre brûlée (10) et noir (11).*

pas à pas

Peindre un paysage à base de tons chauds

Les gammes de couleurs ne doivent pas toujours se restreindre à la réalité du modèle. Lorsque vous choisissez une gamme chromatique déterminée, vous devez également interpréter le modèle en fonction des couleurs choisies. Nous vous proposons, par l'intermédiaire de cet exercice, d'interpréter un paysage simple en fonction d'une gamme harmonique chaude. Nous ne rejetterons pas l'utilisation de couleurs froides, mais celles-ci ne seront jamais dominantes.

MATÉRIEL NÉCESSAIRE

Papier à aquarelle (1), aquarelles (2), pinceaux à aquarelle (3), crayon à papier (4), récipient rempli d'eau (5), ruban adhésif (6), chiffon (7) et support (8).

1. *Au fur et à mesure que vous avancerez sur le terrain de l'aquarelle, vous constaterez que le dessin revêt une importance fondamentale et que sans lui l'aquarelle manquerait de support et de point de référence. Le médium le plus approprié pour dessiner l'esquisse initiale est le crayon à papier, bien que le fusain soit également d'un usage assez courant. Dans le cas de cet exercice, utilisez un crayon à papier pour esquisser les lignes principales. L'esquisse doit être très précise, mais ne doit pas être surchargée de détails inutiles.*

2. Il vous faut tout d'abord peindre la zone correspondant au ciel et, comme dans le thème relatif au lavis, réaliser un dégradé sur toute cette partie ; pour ce faire, humidifiez le fond, en délimitant la forme de l'arbre à l'aide du pinceau mouillé. Peignez ensuite la zone supérieure avec de l'ocre orangé, à longs coups de pinceau couvrant toute la largeur du papier, et répartissez la couleur au fur et à mesure qu'elle s'étend sur la zone mouillée. Laissez sécher le fond, puis utilisez la couleur terre de Sienne pour peindre la zone montagneuse de l'horizon. Lorsque celle-ci est sèche, peignez l'arbre entier avec du jaune de cadmium.

Des couleurs appartenant à d'autres gammes peuvent intervenir dans les différentes gammes harmoniques pour compléter ou contraster les couleurs employées.

3. Ajoutez une petite quantité de vert au jaune de la palette et mélangez jusqu'à ce que vous obteniez un ton un peu plus foncé que le ton d'origine. Le jaune de cadmium est une couleur très dominante qui appartient à la gamme chaude. Si vous lui ajoutez du vert (en quantité très réduite), cela modifiera la nuance, mais d'une façon peu accentuée et suffisante pour peindre des ombres qui ne soient pas excessivement contrastées. Peignez la végétation qui se trouve en bordure de route avec du vert. Il ne s'agit pas de la couleur définitive, elle servira simplement de base pour d'autres couleurs chaudes.

4. Imprégnez légèrement votre pinceau de couleur terre de Sienne très transparente, mais pas trop humide, et peignez la zone la plus foncée de l'arbre à coups de pinceau courts et très énergiques. Insistez jusqu'à ce que vous détachiez une partie du jaune de base. Mélangez ensuite du magenta, de la terre de Sienne et une petite quantité de bleu pour obtenir un ton violacé très chaud et très foncé que vous utiliserez pour peindre toute la frange intermédiaire. Étant donné que la couleur inférieure a eu le temps de sécher, les tons ne se mélangent pas ; le vert sera presque entièrement couvert par cette nouvelle couleur foncée et chaude.

5. *Préparez un lavis très transparent de couleur terre de Sienne et peignez le blanc du papier dans toute la partie inférieure. Cette couleur annule toutes les zones blanches et servira de base aux autres couleurs plus foncées. Avec le violet que vous venez d'utiliser pour le fond, commencez à peindre la partie de la route qui se trouve dans l'ombre. Bien qu'il s'agisse de la même couleur, le rendu ne sera pas si opaque car cette zone est très lumineuse. Peignez le bord droit avec une couleur orangée ; ce ton chaud servira également de fond pour les couleurs plus foncées que vous appliquerez plus tard.*

Vous pouvez accélérer le séchage de l'aquarelle à l'aide d'un sèche-cheveux portable. Laissez l'appareil à une certaine distance de la feuille pour éviter que le souffle déplace des gouttes de couleur.

6. *Mélangez de la terre de Sienne et de la terre d'ombre pour peindre les contrastes les plus foncés et rehausser les tons d'ombre du paysage. Par effet de contraste, les tons foncés font ressortir les zones lumineuses. Peignez les ombres inférieures à coups de pinceau larges et uniformes ; le pinceau doit entraîner la couleur dans le sens horizontal et porter suffisamment de couleur à chaque passage pour éviter d'obtenir un dégradé.*

7. *Continuez à peindre la cime de l'arbre avec un orange très lumineux légèrement nuancé de terre d'ombre. Les nouveaux coups de pinceau entraînent une partie de la couleur terre de Sienne précédemment appliquée et les deux tons se mélangent sur le papier. Peignez ensuite les troncs des arbres qui se trouvent sur la gauche avec un mélange composé de terre de Sienne et d'une petite quantité de terre d'ombre ; le fond étant totalement sec, les couleurs ne se mélangent pas. Vous pouvez constater que l'orange semble maintenant plus lointain. Peignez la partie inférieure de la chaussée avec de l'orange, mais sans couvrir la frange la plus lumineuse.*

8. *Attendez que le tableau soit parfaitement sec avant d'appliquer les touches finales. Peignez alors la partie droite des montagnes avec des rouges et la partie gauche avec un bleu marine très foncé. Au premier plan, augmentez les contrastes de la chaussée à l'aide d'un lavis de terre de Sienne. À coups de pinceau de violet très foncé, tracez ensuite des lignes isolées à la base de l'ombre des arbres.*

SCHÉMA-RÉSUMÉ

Jaune de cadmium très pur appliqué sur le fond en tant que couleur de base pour l'arbre.

Superposition de **rouge** sur le fond sec.

Couleur verte avec des nuances chaudes. Cette couleur sert de base pour l'application ultérieure de couleurs plus foncées.

Le ciel a été peint dans une tonalité très chaude qui éclaire l'ensemble du paysage.

Utilisation du **bleu** en tant que couleur complémentaire pour compenser l'excès de tons chauds.

Lavis très lumineux couleur terre de Sienne ; c'est la couleur qui apporte le plus de clarté à la chaussée.

THÈME

4 Aquarelle sur fond humide

IMPORTANCE DU PAPIER ET HUMIDITÉ

La base de l'aquarelle est l'eau. Ce médium permet à la peinture de s'écouler facilement sur le papier sans rencontrer aucun obstacle. Nous avons vu, dans les thèmes précédents, que deux taches de peinture humides ont tendance à s'unir ; c'est la question que nous allons traiter dans ce nouveau thème, en considérant toutes les possibilités qui découlent de cette aptitude. Jusqu'à maintenant et chaque fois que vous avez dû peindre une tache de couleur, nous avons insisté sur le fait qu'il était nécessaire d'attendre que celle-ci soit sèche avant d'appliquer une autre couleur ou un autre ton. Nous allons maintenant étudier les possibilités offertes par l'application et le retrait de peinture sur un fond encore humide.

▼ *Le papier revêt une grande importance dans le domaine de l'aquarelle, que le travail soit réalisé sur fond sec ou sur fond humide. L'aquarelle est transparente et si fine qu'elle s'adapte à n'importe quelle surface en papier et laisse transparaître sa texture. Le papier utilisé pour travailler sur fond humide ne doit pas être susceptible de se friper trop aisément. Pour vérifier le comportement du papier, nous vous conseillons d'effectuer cet essai avec trois types de papiers de qualité, mais présentant un grain différent. Comme vous pourrez le constater, les traits et l'humidité ne répondent pas de la même façon sur les trois types de papiers.*

▼ *L'aquarelle sur fond humide offre des possibilités techniques totalement différentes, les couleurs se fondent entre elles, se saturent et gonflent. La pratique vous permettra de maîtriser ces effets. Cet exemple vous montre quelques-unes des caractéristiques de la peinture.*

▶ *Cet exercice ne requiert pas l'emploi d'un pinceau particulier. Trempez le pinceau dans l'aquarelle, comme vous l'avez fait jusqu'à présent, et frottez-le énergiquement sur un papier brouillon ou sur un chiffon pour éliminer l'excès d'eau. Appliquez des coups de pinceau isolés pour observer les traces laissées par la touffe. Puis, en utilisant la même technique et avec peu de peinture, peignez un arbre en commençant par la cime. Lorsque la couleur est épuisée, reprenez-en, égouttez le pinceau, puis peignez le tronc de l'arbre. Esquissez ensuite le sol avec le pinceau presque sec. Vous avez pu maîtriser parfaitement vos coups de pinceau car le fond était sec.*

LA TENSION DU PAPIER

Avant de commencer à peindre en utilisant les diverses techniques de l'aquarelle, il convient que vous sachiez tendre le papier sur son support. Vous éviterez ainsi la formation de poches de couleur et le papier mouillé ne se fripera pas. De nombreux artistes fixent le papier à l'aide d'un ruban adhésif de peintre ou de punaises. La méthode la plus sûre pour tendre le papier est celle que nous indiquons ici. Comme vous pouvez le constater, ce système est très simple et très pratique.

2. *Le papier possède naturellement une certaine capacité à se déformer avec l'humidité. La fibre se dilate et gonfle lorsqu'on le mouille, ce qui provoque la formation de poches de couleur. Étant donné que le papier se déforme de façon irrégulière, cela entraîne l'apparition de tensions lorsqu'il se contracte et celles-ci se traduisent visuellement par la formation de rides. Pour éviter l'apparition de poches irrégulières, mouillez abondamment toute la surface du papier à l'aide d'une éponge imbibée d'eau.* ▲

▼ **1.** *Pour tendre le papier, il vous suffit de disposer d'un ruban adhésif à l'eau, d'une planche, d'une éponge, d'eau et, bien entendu, de papier. Ce système permet de tendre n'importe quel type de papier, mais il convient néanmoins que celui-ci possède une certaine épaisseur pour éviter qu'il se déchire pendant cette opération.*

De nombreux artistes vont jusqu'à utiliser des punaises pour tendre le papier.

▼ **3.** *Attendez que l'eau fasse gonfler le papier. Vous n'aurez pas à attendre très longtemps, une à deux minutes suffiront. Le papier étant encore humide, collez quatre bandes de ruban adhésif à l'eau sur ses bords, une de chaque côté. Le papier est ainsi parfaitement fixé à la planche. Attendez qu'il soit totalement sec avant de commencer à peindre. Ne vous inquiétez pas si le papier forme des poches lorsqu'il est mouillé, elles disparaîtront certainement lorsqu'il sera sec et la surface sera lisse et tendue.*

▼ **4.** *Lorsque vous avez terminé votre tableau, attendez de nouveau que le papier sèche avant de le retirer de la planche à l'aide d'une règle et d'un cutter. Il vous suffit ensuite de mouiller le ruban adhésif pour le décoller.*

RETIRER DE LA COULEUR SUR FOND HUMIDE

Les possibilités de l'aquarelle sont très étendues. Le travail sur fond humide permet de réaliser un grand nombre de modifications et toutes sortes d'interventions techniques. Le rôle principal de l'exercice que nous vous proposons ci-après n'est pas occupé par la peinture en tant que telle, mais par les tons clairs qui peuvent être obtenus en absorbant la couleur à l'aide du pinceau. Cet exercice est très important, non seulement pour comprendre les possibilités des dégradés, mais aussi en tant que base pour l'ouverture des blancs, qui sera traitée en détail dans le thème 7.

1. *Peignez la totalité du fond avec un ton foncé ; il n'est pas nécessaire de réaliser un dégradé. Les coups de pinceau doivent être verticaux et couvrir la totalité du fond du tableau de façon à obtenir une tonalité uniforme. Cet exercice doit être réalisé sur un fond humide, non détrempé ; si le fond est trop mouillé, attendez quelques instants, jusqu'à ce qu'il atteigne l'humidité requise. Commencez à retirer une partie de la couleur à l'aide d'un pinceau sec ; la touffe absorbe la couleur lorsque vous passez le pinceau sur la surface humide.* ◄

▼ **2.** *La quantité de couleur enlevée dépend de la pression exercée sur le pinceau ; cette technique peut être employée en tant qu'alternative pour obtenir des dégradés de tons qui peuvent ensuite être appliqués à une couleur ou, comme dans le cas de cet exemple, en tant que méthode pour créer différents plans. Chaque plan correspond à une zone du tableau. Cette technique permet de dessiner avec une certaine précision car la peinture peut être entraînée jusqu'à l'endroit voulu. Vous obtiendrez les zones les plus sombres en accumulant une partie de la couleur enlevée au pinceau aux endroits voulus.*

La qualité du papier revêt une grande importance dans le cas de cet exemple. Sur un papier de mauvaise qualité, la couleur se comportera comme une teinture, et vous ne pourrez en aucun cas l'absorber complètement.

3. *Passez, à plusieurs reprises, votre pinceau propre et égoutté sur les zones correspondant aux reflets les plus lumineux ou, ce qui revient au même, aux blancs les plus brillants du papier. Vous pouvez ensuite rehausser les tons foncés, mais ce travail ne doit être effectué que lorsque le fond est parfaitement sec.* ▲

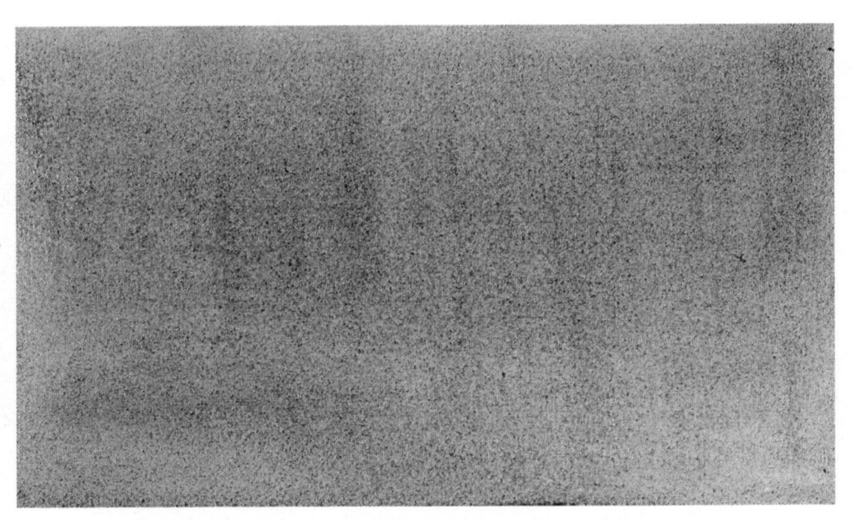

▶ **1.** *Toute tache de couleur humide peut être corrigée de multiples façons. L'aquarelle est extrêmement sensible à toute altération de sa surface humide. Il n'est pas nécessaire d'humidifier préalablement le papier pour peindre cette zone, mais il est important de la peindre en une fois, sans interruption, pour éviter la formation d'éventuelles marques de transition entre les coups de pinceau.*

RABAISSER LA COULEUR HUMIDE

Les couleurs dont doit disposer l'aquarelliste dépendent de l'usage qu'il ou elle en fera. Une personne qui aime peindre des lavis monochromes n'a pas besoin d'acquérir une gamme très étendue de couleurs, mais doit au moins posséder une gamme minimale qui lui permettra de disposer des tonalités nécessaires. Par contre, lorsque la technique exige l'emploi de couleurs difficiles ou impossibles à créer à partir de mélanges simples, l'artiste devra disposer d'une gamme étendue de couleurs.

▶ **2.** *Le fond étant humide, vous pouvez passer un pinceau propre et sec pour retirer la couleur ou une partie de celle-ci. L'humidité du papier doit être bien répartie, mais la peinture ne doit pas être détrempée. Pour enlever la couleur, procédez comme suit : avec un pinceau sec, retirez tout d'abord toute la couleur que celui-ci est capable d'accepter en un seul passage, rincez-le à l'eau propre, égouttez-le, puis recommencez. Plus vous répéterez cette opération, plus la couleur du fond humide se rapprochera du blanc du papier.*

▶ **3.** *Après avoir ouvert les blancs nécessaires, vous pourrez ajouter les contrastes qui définiront les formes. Cet exercice est très simple mais il peut vous offrir de nombreuses options de travail pour les sessions ultérieures.*

pas à pas

Paysage. Ouverture de clairs

Nous insistons beaucoup, dans ces premiers thèmes, sur la question du paysage car les techniques de base de l'aquarelle s'appliquent de façon beaucoup plus libre lorsqu'elles ont trait à des sujets moins concrets que les natures mortes ou les personnages. Le paysage autorise une certaine marge d'erreur et une subjectivité que d'autres thèmes de peinture ne tolèrent pas, ce qui peut décourager l'amateur en cours d'apprentissage. Le résumé pas à pas ci-après revient sur quelques-unes des notions que nous avons traitées jusqu'à présent : le dégradé et l'ouverture de clairs.

MATÉRIEL NÉCESSAIRE

Papier à aquarelle (1), aquarelles (2), palette (3), pinceaux à aquarelle (4), crayon à papier (5), récipient rempli d'eau (6), ruban adhésif (7), chiffon (8) et support (9).

1. *Dessinez les principales zones du paysage à traiter, sans plus de détails qu'il n'est strictement nécessaire. Suivez les indications relatives à cet exemple pour tous vos travaux à l'aquarelle : le dessin doit être concis, sans ombre ni détails inutiles ; il doit uniquement comporter les éléments nécessaires qui vous guideront lors de l'application de la couleur au pinceau.*

2. *Nous avons déjà traité le dégradé dans les thèmes précédents. En voici un autre exemple qui vous permettra de résoudre toute la zone du ciel. Nous vous rappelons comment le réaliser : humidifiez tout d'abord toute la zone qui sera occupée par le dégradé puis, avant qu'elle soit sèche, peignez une large frange bleue dans la zone supérieure. Le fond étant humide, la peinture a tendance à s'étaler. Étirez-la à l'aide de votre pinceau jusqu'à ce que la couleur se fonde avec le blanc du papier. Faites de même pour la frange inférieure du ciel, mais avec un ton d'ocre très clair. Avant que la peinture soit totalement sèche, peignez une frange de couleur terre d'ombre brûlée au niveau de la ligne d'horizon. Lorsque la zone inférieure est sèche, vous pouvez peindre le sol sans que la couleur se mêle à celle du fond.*

Le papier doit posséder un certain grammage et être spécifiquement conçu pour l'aquarelle. Dans le cas contraire, la couleur détrempera la surface du papier et vous vous trouverez dans l'impossibilité de peindre.

3. *Ajoutez une petite quantité de bleu à la couleur terre d'ombre que vous avez utilisée pour peindre la frange de l'horizon et tracez la silhouette des bâtiments qui se trouvent au fond. Étant donné que le papier est encore mouillé, la zone que vous venez de peindre se fond avec la partie la plus basse du ciel.*

4. *Les couleurs à l'aquarelle doivent toujours être peintes dans un ordre déterminé : les tons et les couleurs les plus clairs doivent toujours être appliqués en premier, suivis par les tons foncés et les couleurs plus opaques. Il est toujours possible d'accélérer le séchage de l'aquarelle en utilisant l'air chaud émis par un sèche-cheveux portable ; cela permet d'appliquer une nouvelle couche de peinture sur la couche précédente sans que les deux couleurs se fondent. Peignez la frange qui correspond à la mer avec un bleu assez lumineux. Enlevez la couleur à l'aide d'un pinceau sec sur les zones de reflets, comme vous l'avez fait précédemment. Séchez ce nouveau fond et peignez les troncs des palmiers avec un marron foncé.*

5. *Commencez à peindre les feuilles des palmiers avec un vert foncé. Utilisez peu de peinture et travaillez uniquement avec la pointe du pinceau pour pouvoir tracer chaque ligne avec précision. Il est fondamental de respecter les temps de séchage lorsque vous peignez avec des couleurs pures pour éviter qu'elles se mélangent avec les précédentes. Cet exemple vous permet d'apprécier la différence entre le travail sur fond humide (ciel) et le travail sur fond sec.*

6. *Peignez toutes les cimes des palmiers de la même façon que la première, y compris celles des palmiers de gauche dont vous n'avez pas encore peint les troncs. Il s'agit simplement de profiter du fait que la couleur du mélange est disponible. Les troncs peuvent être peints plus tard car leurs contours, qui sont esquissés, vous serviront de guide pour l'application de la couleur. Effectuez une petite correction sur le fond encore frais de la partie gauche : absorbez la couleur foncée à l'aide d'un pinceau et repeignez-la avec la couleur utilisée pour le sol. Complétez la totalité de la zone du sol avec une tonalité similaire. Peignez ensuite les franges foncées de la rambarde et du banc.*

La couleur peut être retirée du papier à l'aide d'un pinceau propre. Il suffit pour cela de passer le pinceau sur la zone choisie et de le laisser absorber la couleur.

7. *Avant de peindre les troncs des palmiers, appliquez le ton verdâtre de l'eau. Utilisez un bleu foncé pour contraster la zone d'ombre de l'eau. Peignez ensuite les ombres allongées des palmiers sur le sol avec une couleur terre de Sienne brûlée très foncée. Mélangez cette couleur à une petite quantité de bleu pour ouvrir un clair à l'aide de cette nouvelle méthode dans la partie droite du tableau. Passez-y un pinceau sec pour enlever de la couleur, comme vous l'avez fait précédemment, mais sans ouvrir le blanc du papier. Peignez le rouge de la rambarde.*

8. *Il ne vous reste plus qu'à peindre l'ensemble des palmiers avec un vert foncé mélangé à une petite quantité de terre d'ombre brûlée. Quelques palmiers doivent rester lumineux ; assombrissez les autres. Ainsi se termine cet exercice qui vous a permis de mettre en pratique quelques-unes des techniques de base de la correction, ainsi que du travail sur fond humide et sur fond sec, trois thèmes que nous aborderons par la suite en détail.*

SCHÉMA-RÉSUMÉ

Dégradé sur fond humide. Il est important de travailler sur un support vertical.

Ton rabaissé à l'aide du pinceau alors que la couleur était encore fraîche.

Correction effectuée à l'aide d'un pinceau propre et légèrement humide. La couleur qui ne convenait pas a été enlevée.

Superposition d'une couleur sur fond parfaitement sec pour éviter que la couleur des cimes des palmiers se mélange à celle du fond.

Le ton de l'ombre située à droite a été **nettoyé**, mais sans atteindre le blanc du papier.

THÈME

5 Aquarelle sur fond sec

LE GRAIN DU PAPIER ET LE COUP DE PINCEAU

Comme le précédent et le suivant, le thème que nous allons traiter ci-après est consacré à l'une des principales techniques de l'aquarelle. Jusqu'à présent, nous avons vu d'une façon approximative que lorsque deux couleurs humides entrent en contact sur le papier, elles se mélangent, et que pour éviter que cela se produise, il est nécessaire d'attendre que la première couleur soit sèche. La peinture sur fond sec possède des ressources bien plus étendues que celles que nous avons énoncées jusqu'à présent. Nous en étudierons quelques-unes dans ce thème.

Comme dans le cas de la technique sur fond humide, le coup de pinceau et le grain du papier revêtent une grande importance. Pour commencer à vous exercer à cette technique, il convient que vous acquérriez une bonne connaissance de l'absorption du papier.Vous pourrez ainsi choisir le type de papier qui vous conviendra le mieux.

▶ *Pour réaliser cet essai, il convient que vous disposiez de plusieurs types de papiers. Les feuilles ne doivent pas nécessairement être de grand format, chacune d'entre elles doit simplement être assez grande pour accueillir un coup de pinceau. Cet essai vous permettra de choisir le papier adéquat pour continuer à travailler car bien qu'il existe de nombreux types de papiers sur le marché, ils ne sont pas tous aussi appropriés. Indiquez la marque, le grammage et le grain de chaque papier au dos de chacune des feuilles, puis fixez-les dans l'ordre choisi à l'aide d'un ruban adhésif de peintre.*

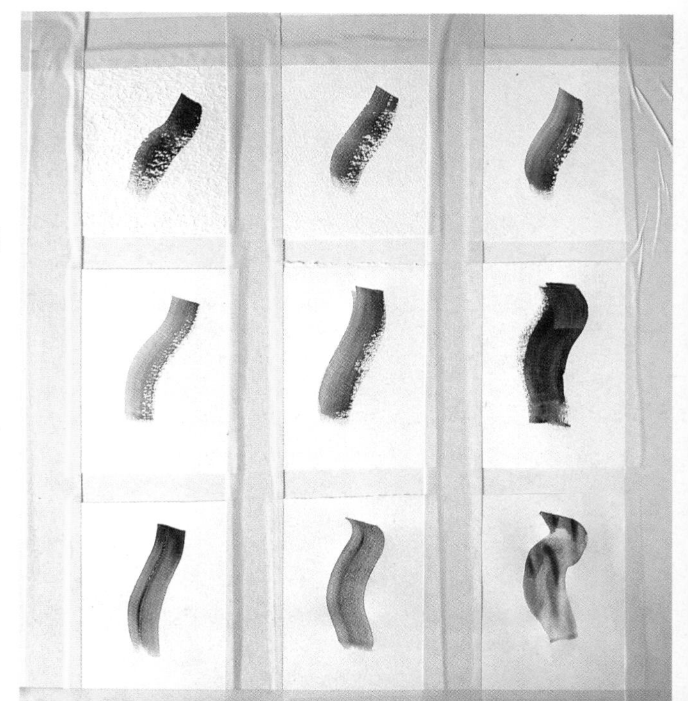

◀ *Préparez un lavis d'une couleur quelconque, de préférence forte et lumineuse pour qu'elle contraste avec le papier. Le point le plus délicat de cet essai consiste à prélever la même quantité de couleur pour chaque coup de pinceau. Tentez également d'appliquer un coup de pinceau similaire sur chacune des feuilles. Lorsque la peinture aura séché, vous pourrez constater quels papiers ont le mieux accepté la couleur (elle ne possède pas la même luminosité dans chacun des cas), mais aussi quels papiers ne sont pas appropriés pour l'aquarelle (ceux que la couleur a détrempés ou dont la surface s'est froissée). Réalisez cet essai sur fond sec pour être en mesure de juger le taux d'absorption du papier.*

TECHNIQUES DE BASE. SUPERPOSITION DE COULEURS

L'une des techniques qui permet de peindre à l'aquarelle sur fond sec est la superposition de deux tons ou de deux couleurs. En aquarelle, lorsque l'on mélange deux tons identiques, la couleur du glacis obtenu est plus foncée. Cet effet possède de multiples applications, tant pour modifier une couleur que pour produire un effet d'éclairage. Chaque fois que l'on superpose deux couleurs, leur intersection donne lieu à l'apparition d'une troisième couleur.

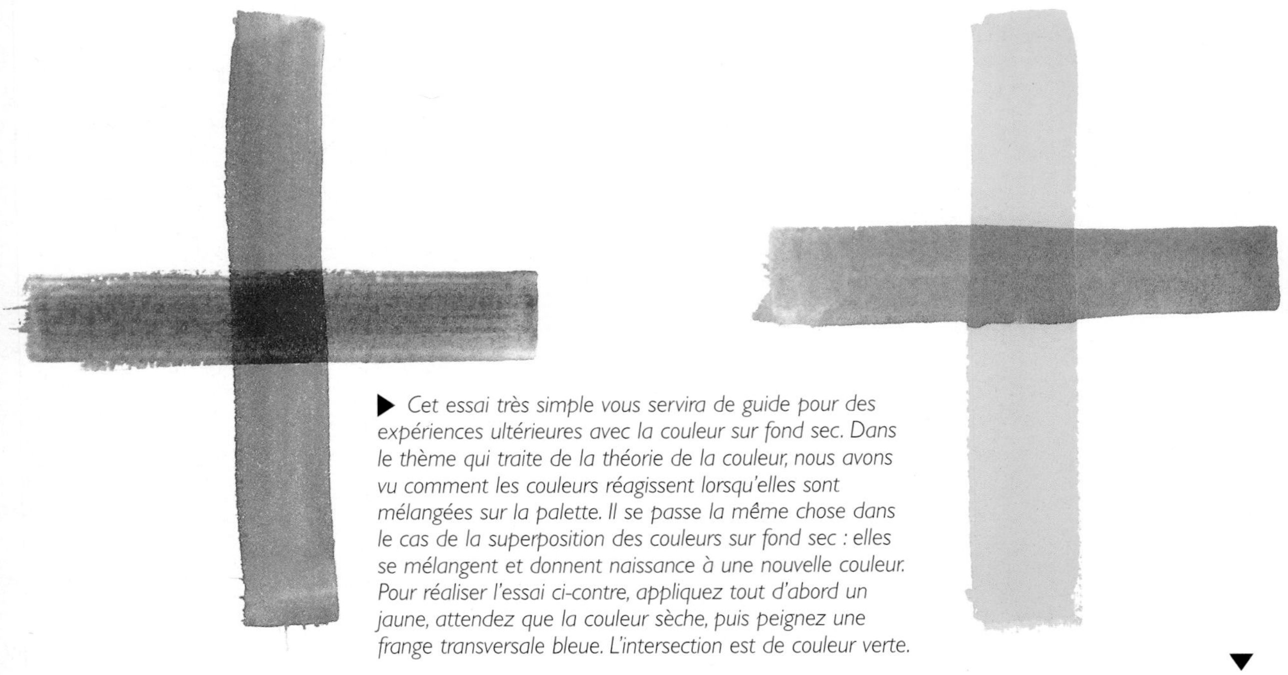

▶ *Cet essai très simple vous servira de guide pour des expériences ultérieures avec la couleur sur fond sec. Dans le thème qui traite de la théorie de la couleur, nous avons vu comment les couleurs réagissent lorsqu'elles sont mélangées sur la palette. Il se passe la même chose dans le cas de la superposition des couleurs sur fond sec : elles se mélangent et donnent naissance à une nouvelle couleur. Pour réaliser l'essai ci-contre, appliquez tout d'abord un jaune, attendez que la couleur sèche, puis peignez une frange transversale bleue. L'intersection est de couleur verte.*

▼ *Ce second exemple est similaire au précédent, seules les couleurs changent. Tracez une frange verticale de couleur magenta, attendez qu'elle sèche, puis peignez une bande horizontale bleue. L'intersection est de couleur violette.*

▶ *Cet autre essai est très simple. Vous pouvez le réaliser sur n'importe quelle ébauche ou sur une peinture expressément conçue à cette occasion. Le paysage doit posséder une zone étendue de ciel. Attendez qu'il soit totalement sec. Pendant ce temps, préparez un lavis très transparent de couleur ocre. Peignez la moitié du paysage dans cette tonalité. Ne passez pas votre pinceau à plusieurs reprises au même endroit pour ne pas enlever la couche inférieure. L'effet obtenu est très intéressant : vous avez créé un éclairage atmosphérique étrange qui affecte tous les tons les plus clairs.*

◀ *Pour réaliser cet essai au blanc de Chine, nous avons choisi un papier possédant un ton crème. L'emploi d'un papier de couleur n'est pas chose courante en aquarelle, mais ce choix peut s'avérer utile selon le sujet. Déterminez tout d'abord la façon dont la couleur du papier affecte la transparence de l'aquarelle. Pour ce faire, préparez un lavis très transparent de couleur grise, appliquez-le et laissez-le sécher. Peignez ensuite un second lavis de la même couleur, mais beaucoup plus foncée, sur le premier. Vous constaterez que la couleur du papier affecte surtout le ton le plus clair car le second manque de luminosité.*

RÉSERVES ET BLANC DE CHINE

L'aquarelle est très transparente, si transparente que toute couleur présente sous la peinture altère la couleur définitive de celle-ci. L'une des ressources utilisées pour pallier la transparence de l'aquarelle est l'emploi du blanc de Chine. Il s'agit d'une aquarelle très dense de couleur blanche qui sert à opacifier et à épaissir les couleurs. La technique de la réserve consiste à ne pas peindre une zone de façon à ce qu'une couleur foncée isole une couleur plus claire. Cette zone sera blanche si le papier est blanc. L'apport de blanc de Chine n'a aucun rapport avec la réserve. Il permet de peindre des tons clairs, même sur des papiers de couleur.

◀ *Observez la différence acquise par le ton gris le plus foncé lorsqu'il est mélangé à du blanc de Chine. Appliquez quelques taches de blanc de Chine pour vérifier son opacité sur le papier de couleur. Peignez une forme triangulaire dans la zone inférieure ; cela vous permettra de constater qu'il ne s'agit pas d'une peinture totalement opaque puisqu'elle laisse entrevoir la couche inférieure. Mouchetez légèrement le paysage en secouant votre pinceau bien imprégné de blanc de Chine : les points blancs sont plus visibles dans la zone foncée.*

◀ *Déposez du bleu et du blanc de Chine sur votre palette. Peignez tout d'abord quelques arbres avec du bleu très pur, comme le montre le modèle. Appliquez ensuite la même couleur, mais un peu plus diluée, sur les zones les plus éclairées des cimes. Pour peindre la partie inférieure, ajoutez du bleu sur le blanc, jusqu'à ce que le mélange acquière le ton adéquat. Utilisez cette couleur légèrement pastel pour peindre le sol. Pour terminer, mouchetez de nouveau le paysage avec du blanc de Chine.*

Peignez la zone supérieure du tableau avec un ton orangé, jusqu'à la base des montagnes. Laissez le reste en blanc. Lorsque cette couleur est sèche, peignez les montagnes dans une tonalité violette. Si l'une des zones du fond n'est pas totalement sèche, les deux couleurs se mélangeront. Mélangez ce ton violet à une petite quantité de terre de Sienne et imprégnez-en un pinceau moyen. Éliminez l'excès de peinture et peignez des traits horizontaux sur le fond blanc.

DÉTAILS ET TEXTURE À PINCEAU SEC

Un simple pinceau sec peut vous permettre d'obtenir de nombreux effets. Un coup de pinceau sec sur un fond sec fait ressortir le grain du papier et permet de jouer avec les couches de couleur appliquées précédemment. Vous pouvez peindre avec un pinceau sec sur une surface blanche ou sur une surface déjà colorée par un lavis.

Commencez à peindre la partie inférieure avec un vert très foncé ; au début, votre trait ne doit pas nécessairement être régulier. Lorsque vous avez épuisé la peinture qui se trouvait sur le pinceau et avant de le réimprégner, frottez-le sur la partie supérieure de cette zone pour faire ressortir la texture du papier. Superposez une seconde couche de la couleur violette initiale sur la couleur, sèche, des montagnes. La somme de ces deux tonalités donne une couleur plus foncée.

Peignez le côté droit avec un gris foncé. Laissez de petites zones en blanc, elles créeront un effet de reflet. Lorsque le fond est parfaitement sec, peignez un trait ocre vert sur la partie inférieure des montagnes. N'interrompez pas votre coup de pinceau avant que votre trait s'épuise sur le papier. Enfin, lorsque l'ensemble des traits est sec, peignez les hautes herbes du premier plan. Le pinceau ne doit pas être trop imprégné de couleur car sinon les traits seront trop réguliers.

pas à pas

Paysage avec arbre

La technique du pinceau sec est l'une des plus intéressantes dans le domaine de l'aquarelle. Bien entendu, elle ne peut pas être utilisée à tout moment car l'emploi de techniques fondées sur la fusion des couleurs ou de dégradés est incontournable pour peindre certaines zones. Le modèle que nous avons choisi pour l'exercice ci-après est un paysage avec un grand arbre au premier plan. Le sujet est suffisamment riche en nuances et en textures pour le traiter grâce à la technique du pinceau sec.

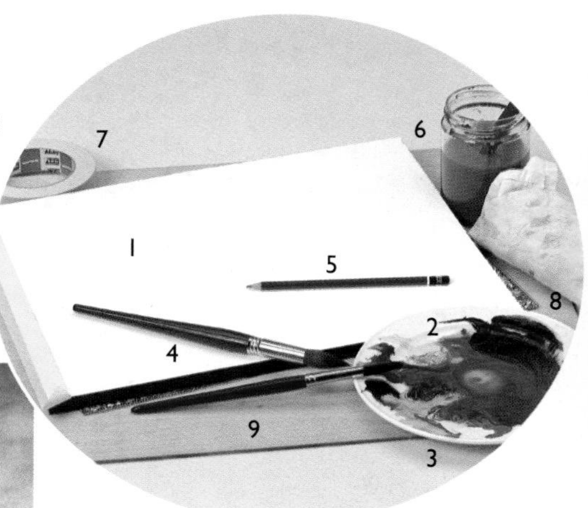

MATÉRIEL NÉCESSAIRE

Papier à aquarelle (1), aquarelles (2), palette ou assiette (3), pinceaux à aquarelle (4), crayon à papier (5), récipient rempli d'eau (6), ruban adhésif (7), chiffon (8) et support (9).

1. *Dessinez les principales lignes du paysage avec différents degrés de précision. Schématisez toute la zone qui correspond au chemin de façon concise, mais très claire, en soulignant l'arrondi qui différencie la terre de l'herbe. Dessinez le tronc de l'arbre de façon très précise, en différenciant très clairement le tronc des branches principales. Esquissez à peine la zone qui correspond aux branches hautes pour pouvoir travailler librement au pinceau sec. Commencez le travail de peinture proprement dit par le fond du ciel : peignez des taches de bleu se dégradant vers le blanc pour suggérer les nuages.*

2. *Peignez le chemin avec un lavis ocre très clair sur fond sec. Pour éviter que les couleurs se mélangent, appliquez-les par zones, en séparant chacune d'entre elles par de légers blancs ; vous éviterez ainsi que les couleurs claires fusionnent avec d'autres tons plus foncés. Utilisez une couleur verte pour peindre la surface d'herbe qui se trouve au bord du chemin, lui-même séparé de la zone centrale par des endroits secs. Peignez la partie de droite avec une petite quantité de terre de Sienne, qui se mélangera avec le vert.*

Respectez la zone blanche qui se trouve juste au-dessous de l'arbre pendant toute la session. Cela vous permettra de créer une zone de sol très lumineuse à l'aide d'un pinceau sec.

3. *Foncez légèrement toute la zone du fond comprenant les arbres lointains qui se trouvent sur la gauche et la zone d'herbe située sur la droite en y appliquant un vert lumineux. À l'aide d'un pinceau très sec, peignez ensuite la partie droite du chemin avec un vert jaunâtre mélangé à une petite quantité d'ocre ; vos coups de pinceau doivent être très longs et suivre l'arrondi du chemin de terre. Appliquez une couleur olivâtre sur la zone de végétation la plus proche, sur fond totalement sec ; votre coup de pinceau ne doit pas être aussi long que précédemment, il doit être incliné et légèrement plus fermé.*

4. *Cette étape va vous permettre de consolider les tons du fond. Quelques-unes des zones peintes sont totalement sèches, d'autres sont légèrement humides, mais aucune d'entre elles ne doit être véritablement mouillée car cela vous empêcherait de maîtriser la couleur et vos coups de pinceau. Placez les verts foncés autour des verts clairs du bosquet qui se trouve au fond et à gauche. Peignez la zone de droite avec un vert foncé et délimitez la forme du tronc ; à cet endroit, le fond est parfaitement sec. D'un long coup de pinceau qui suit la forme du chemin, assombrissez le ton à l'aide d'un lavis très lumineux de tons ocres et orangés. Attention au coup de pinceau qui définit la cime de l'arbre : il doit être court et dense, et appliqué sur fond sec.*

5. À l'aide d'un pinceau très sec imprégné de vert, faites ressortir la texture du papier de la zone herbeuse. Donnez quelques petits coups de pinceau de rouge très lumineux sur le vert du sol pour représenter les coquelicots ; quelques-unes de ces taches fusionnent avec le fond. Préparez un mélange très dilué de terre de Sienne et de violet, et appliquez-le sur la zone qui correspond à l'ombre de l'arbre sur le sol ; le fond doit être parfaitement sec.

Pour que la texture du papier soit visible, le fond doit être parfaitement sec et le pinceau ne doit pas être trop chargé de peinture.

6. Passez un pinceau propre et humide sur la zone verte qui se trouve à droite pour que les traits trop secs, que vous redéfinirez plus tard, se fondent avec les autres couleurs : le rouge des coquelicots se mélange au vert pour donner naissance à une couleur brune propre aux terrains à végétation sylvestre. Passez à plusieurs reprises un pinceau propre et légèrement humide sur le vert qui se trouve dans le fond et à droite jusqu'à ce que le ton s'éclaircisse. Continuez à peindre la cime de l'arbre en appliquant la même technique que précédemment ; il est indispensable de laisser sécher cette zone entre les diverses applications de couleur pour éviter que les tons se fondent.

7. Continuez à peindre le vert de l'arbre jusqu'à ce qu'il acquière la forme que vous souhaitez lui donner. Les tons de vert vont du vert foncé au vert lumineux en passant par des tons très denses presque bleutés. Superposez de l'oxyde de vert sur le vert du sol totalement sec dans les zones suivantes : sous l'arbre, à coups de pinceaux courts pour définir le terrain ; à gauche, en peignant une tache qui rehaussera le contraste du bord du chemin ; dans la zone de droite, d'une touche qui laissera entrevoir le ton précédent.

8. *Il vous reste à augmenter les contrastes du paysage. Terminez la cime de l'arbre en appliquant une succession de coups de pinceau courts avec une couleur foncée qui se superposera aux tons précédents. Peignez le reste des petites branches et les herbes du premier plan. Appliquez de petites touches de couleur terre de Sienne très claire et transparente sur le chemin. Ainsi se termine ce paysage qui vous a permis de mettre en pratique la technique du pinceau sec.*

SCHÉMA - RÉSUMÉ

Le feuillage doit être peint sur fond totalement sec. Il est donc nécessaire d'attendre chaque fois que le ton sèche avant d'appliquer les couleurs qui viendront s'y superposer.

Cette **zone blanche** doit être laissée en réserve dès le début. Il s'agira de la zone la plus lumineuse du sol.

L'emploi d'un pinceau presque sec permet de mettre en évidence **la texture du papier** et de laisser entrevoir les tons et les couleurs du fond.

Le fond du ciel doit être peint sur fond sec, mais la fusion du ton s'effectue en dégradant la couleur vers le blanc du papier.

Dans cette zone, **le rouge** a été superposé au vert et les deux couleurs se sont mélangées, donnant naissance à une couleur brune.

Les herbes du premier plan doivent être peintes en dernier. Le pinceau doit porter la charge de peinture appropriée de façon à obtenir la texture adéquate.

THÈME

6 Combinaison des techniques d'aquarelle sur fond humide et sur fond sec

LE FOND HUMIDE

En aquarelle, il est difficile de se limiter à l'emploi d'une seule des deux techniques : sur fond humide ou sur fond sec. Le plus courant consiste à les combiner pour en extraire les ressources nécessaires et pouvoir d'une part renforcer la fusion des tons, et d'autre part bénéficier de la précision d'un coup de pinceau sec. Le seul élément qui différencie totalement ces deux techniques est le temps de séchage entre deux couches. Si le fond est mouillé, la couleur s'étale ; si, au contraire, le fond est sec, le coup de pinceau est concret et précis.

Le travail sur fond humide permet d'obtenir des effets d'ambiance, des taches imprécises et des zones de fusion, des dégradés et des couleurs gonflées. L'expansion de la couleur appliquée sur un fond humide dépend du taux d'humidité de celui-ci. La maîtrise de l'humidité du fond de la zone sur laquelle la couleur est appliquée permet d'effectuer des travaux d'une grande exactitude. L'humidité peut être contrôlée à l'aide d'un papier buvard, d'une éponge, d'un pinceau sec ou naturellement, par évaporation de l'eau.

▶ 1. *Après avoir fixé le papier sur son support au moyen d'un ruban adhésif de peintre pour éviter la formation de poches d'eau et de plis, humidifiez la totalité du fond à l'aide d'une éponge ou d'un pinceau. Placez le papier abondamment mouillé en position verticale et peignez une bande horizontale dans la zone supérieure (cette étape a déjà été expliquée dans les thèmes précédents, mais il est important d'insister sur la maîtrise du lavis pour comprendre toutes les ressources de base de l'aquarelle). Avec l'aide de l'humidité du papier et celle du pinceau, la couleur s'étale vers le bas en formant un dégradé doux vers le blanc.*

◀ 2. *Attendez que le degré d'humidité du papier diminue car si vous peignez immédiatement, alors que le papier est encore très imbibé d'eau, la couleur réagira de la même façon que pour le dégradé initial, c'est-à-dire qu'elle s'étalera sur la surface. Lorsque le fond a légèrement séché (il ne doit plus être imbibé d'eau, mais doit être humide), appliquez un bleu plus foncé. Étant donné que le degré d'humidité du papier a diminué, la forme obtenue est beaucoup plus facile à maîtriser, bien que ses contours gonflent légèrement.*

▶ **1.** *Sur l'exemple utilisé précédemment, pratiquement sec, peignez une nouvelle frange, mais cette fois dans la partie inférieure. Étant donné qu'il s'agit d'un simple exercice sur le temps de séchage des couches, la forme de cette frange ne doit pas nécessairement être identique à celle du modèle. Le papier porte maintenant trois franges de couleur et chacune d'entre elles présente un temps de séchage déterminé. Plus le papier est sec, plus il est facile de maîtriser la tache de couleur.*

TEMPS DE SÉCHAGE DE CHAQUE COUCHE

Pour observer le temps de séchage de chacune des couches, nous vous proposons de poursuivre sur la base de l'exercice précédent. Les deux questions traitées formant partie d'un même exercice, vous disposerez ainsi d'un concept de référence plus proche. Le travail sur fond humide passe par la maîtrise du temps de séchage jusqu'à ce qu'il se transforme en travail sur fond sec.

▶ **2.** *Tant que la tache de couleur du fond est humide, vous pouvez la modeler à volonté ; vous pouvez même la dégrader sur le fond. Lorsque la zone qui représente la montagne est sèche, vous pouvez lui superposer, de façon très précise, une seconde ligne de montagne. Ce ton plus foncé possède des limites parfaitement définies et ne s'altère pas lorsqu'il entre en contact avec la première couche. N'oubliez pas qu'en aquarelle il est impossible de peindre des tons clairs sur des tons foncés ; souvenez-vous qu'il convient de procéder de façon inverse.*

▶ **3.** *Pour terminer cet exercice d'observation des temps de séchage, peignez une autre ligne de montagnes au premier plan. Comme vous pouvez le constater dans la pratique, cette précision dans la forme peut uniquement être obtenue lorsque le fond est parfaitement sec.*

1. *Le ton le plus lumineux que vous puissiez obtenir correspond au blanc du papier, mais la luminosité de ce support peut être modifiée à l'aide d'un glacis uniforme, comme le montre l'exemple ci-contre. Dans ce cas, il a été peint avec une tonalité très claire de couleur ocre. Bien que le papier soit entièrement recouvert de couleur, la transparence de l'aquarelle continue à refléter la luminosité du fond blanc car la couleur ocre n'est pas opaque.*

LAISSER RESPIRER LE FOND

Le fond du papier sera le ton le plus clair de ce tableau. Si vous laissez le fond totalement blanc, les reflets pourront être blancs ; si, au contraire, les tons les plus lumineux sont d'une autre couleur, les reflets auront la couleur que vous aurez choisie. Cet exercice pratique vous permettra de déterminer la façon dont la couleur de fond agit sur l'ensemble du tableau. Les tons les plus lumineux doivent respirer au milieu des tons les plus foncés et les plus denses.

2. *La couleur du fond doit être presque sèche. Commencez à peindre les taches foncées qui représenteront les nuages avec une couleur terre de Sienne, en délimitant leur forme sur le fond lumineux. Dans certains endroits, la couleur se fond avec les zones du ciel qui ne sont pas totalement sèches. Utilisez la technique du pinceau sec pour peindre les reflets sur l'eau dans la zone inférieure. Le pinceau, très peu imprégné de peinture, décolle la couleur et fait ressortir la texture du grain du papier. C'est ce que l'on appelle laisser respirer le fond.*

3. *Attendez que le fond soit totalement sec pour éviter que les tons se mélangent. Peignez la partie en contre-jour avec une couleur terre d'ombre brûlée très foncée. Étant donné que le fond est parfaitement sec, vous pouvez appliquer la couleur sans craindre que les tons fusionnent. Tant que la couleur est fraîche, vous pouvez rabaisser le ton du contre-jour par absorption localisée de la couleur.*

▶ **1.** *Commencez à peindre le fond avec un bleu de cobalt assez dilué. Délimitez ensuite la forme des nuages ; leurs contours seront parfaitement définis puisque le fond est totalement sec. Utilisez un ton beaucoup plus transparent et lumineux pour la zone inférieure. Avant que le fond bleu soit complètement sec, préparez un lavis très transparent de noir et de jaune que vous appliquerez sur les zones correspondant aux parties les plus foncées des nuages. Ce mélange et le bleu fusionnent lorsqu'ils entrent en contact ; le blanc le plus lumineux reste par contre isolé puisque le fond blanc est sec.*

COMBINAISONS TECHNIQUES

Lorsque vous avez bien maîtrisé les temps de séchage, vous pouvez parfaitement combiner les deux techniques. Avec la pratique, vous pourrez utiliser des ressources étonnantes, beaucoup plus simples qu'elles ne le semblent à première vue. Les effets de fondu sur fond humide peuvent s'appliquer conjointement aux effets sur fond sec pour simuler la profondeur dans un paysage, la texture des objets, les volumes, etc.

▶ **2.** *Sur fond encore humide, peignez la zone qui se détache à l'horizon avec un bleu très foncé ; ce ton fusionne partiellement avec la couleur bleutée du ciel. Appliquez ensuite du brun foncé sur la zone inférieure. Vos coups de pinceau doivent être isolés et d'une grande précision. Les tons ne se mélangent pas car le fond est parfaitement sec.*

▶ **3.** *Attendez que le tableau soit totalement sec. Vous pouvez alors peindre toutes les zones de contraste avec une grande précision. Les coups de pinceau sec laissent transparaître le fond ; le blanc du papier respire au travers des couleurs appliquées au pinceau sec ou réservées.*

pas à pas

Figues et pommes

L'exercice ci-après consiste à peindre une nature morte composée d'éléments simples, des pommes et des figues. Les fruits sont beaucoup plus faciles à peindre que des éléments purement géométriques tels que des assiettes ou des bouteilles car ceux-ci n'admettent aucune marge d'erreur. Les fruits permettent par contre une certaine élasticité en ce qui concerne la forme car celle-ci ne doit pas nécessairement être d'une homogénéité parfaite. Cet exercice vous permettra de mettre en pratique les deux principales techniques de l'aquarelle, qui sont en définitive les techniques nécessaires à la réalisation de n'importe quel thème. Dans ce cas précis, les difficultés ont bien entendu été limitées pour que le peintre amateur puisse parfaitement assimiler les techniques sur fond sec et sur fond humide.

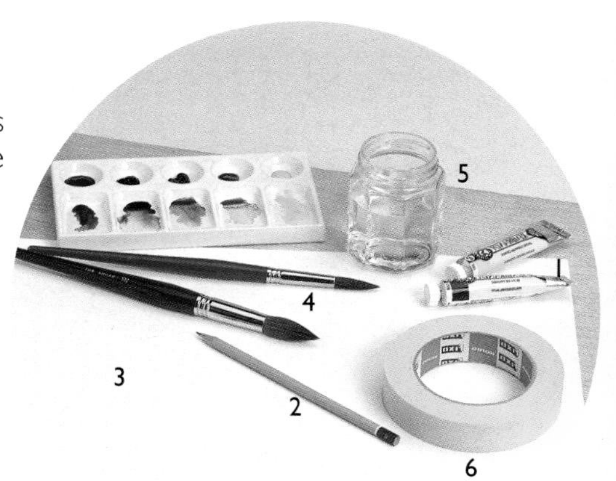

MATÉRIEL NÉCESSAIRE

Couleurs en tube (1), crayon en graphite (2), papier à grain moyen (3), pinceaux à aquarelle (4), récipient rempli d'eau (5), ruban adhésif (6) et support (7).

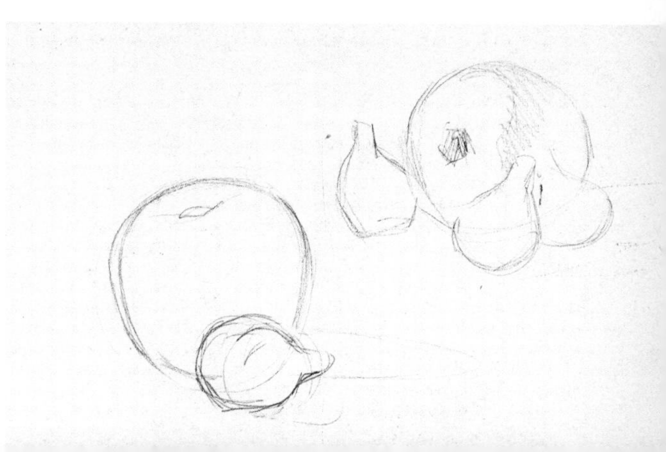

1. *Cette nature morte est très simple à dessiner ; elle est basée sur une forme élémentaire, le cercle. La difficulté maximale de cette nature morte réside dans la composition des éléments sur la feuille. Ceci mis à part, la construction du dessin est très simple ; il vous suffit de situer les contours des fruits sur le papier et de délimiter les ombres projetées sur la table à l'aide de lignes très fines.*

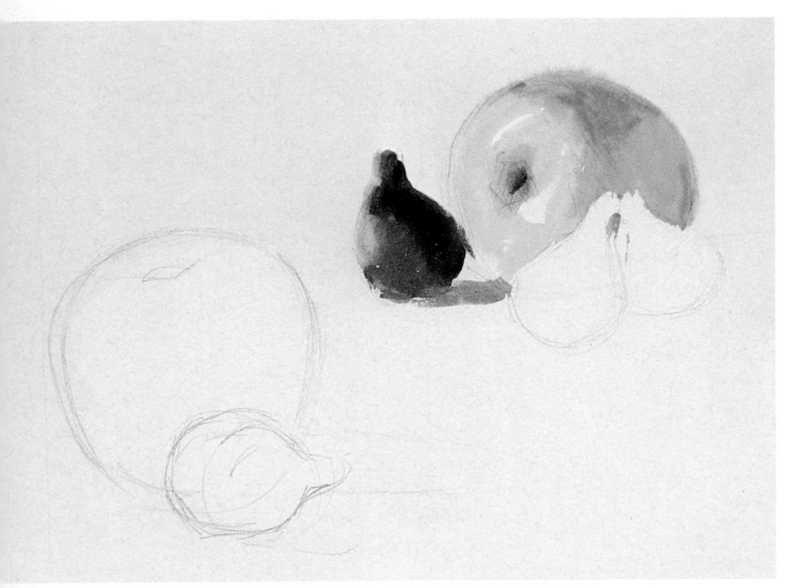

2. *Commencez par la pomme du fond ; peignez toute sa surface avec un jaune lumineux, excepté les zones de reflets qui doivent être laissées en blanc. Sur votre palette, foncez le jaune en y ajoutant une petite quantité de vert et utilisez ce mélange pour peindre la zone correspondant à l'ombre ; cette couleur se fond avec la précédente car celle-ci est encore humide. Appliquez ensuite un léger ton de couleur terre de Sienne sur la zone la plus foncée de l'ombre. Nettoyez votre pinceau et enlevez une partie de la couleur encore fraîche sur le côté droit. Peignez l'ombre de la figue avec un carmin violacé très foncé et dégradez la couleur dans la zone éclairée du fruit.*

3. *Peignez les figues qui se trouvent à droite de la pomme avec des tons violacés, en y ajoutant une plus grande quantité de bleu que vous ne l'avez fait pour la figue de gauche. Appliquez tout d'abord le ton le plus clair, puis les tons foncés correspondant aux ombres. Les couleurs se mélangent directement sur le papier car les apports précédents ont mouillé le fond qui n'a pas eu le temps de sécher. Diluez le ton violacé jusqu'à ce qu'il soit très transparent et appliquez-le sur la zone correspondant aux ombres projetées des fruits du fond. Les autres couleurs composant les figues doivent être relativement sèches avant que vous n'appliquiez cette nouvelle couche de peinture si vous voulez éviter que la forme des fruits soit altérée par la fusion des tons.*

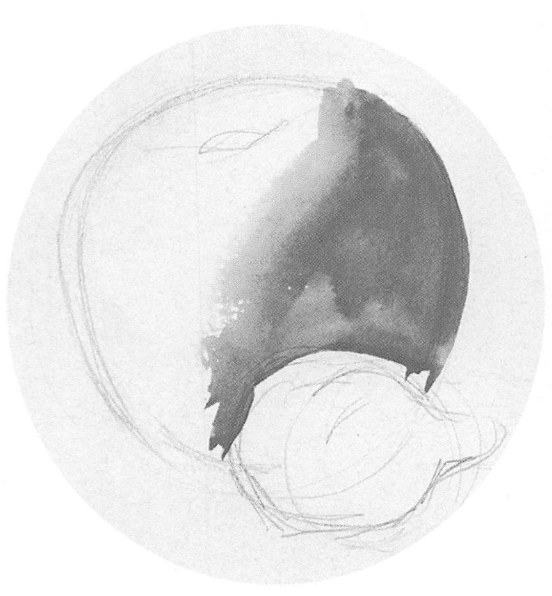

4. *Peignez la zone d'ombre de la pomme qui se trouve au premier plan avec un jaune verdâtre. Bien que la couleur ne risque pas de s'étaler à l'intérieur des contours de la figue puisque le fond est parfaitement sec, appliquez le jaune en respectant la forme de ce fruit.*

Lorsque l'ouverture d'un clair sur une couleur sèche, quelle qu'elle soit, vous pose de gros problèmes, ajoutez quelques gouttes d'eau de Javel dans l'eau ; vous obtiendrez un blanc parfait.

5. Peignez la partie lumineuse de la pomme avec un jaune d'or très propre, en laissant la zone du reflet en blanc. Appliquez une couleur terre d'ombre brûlée dans la partie supérieure de l'ombre de la pomme et faites en sorte qu'elle se fonde avec le reste des couleurs en insistant sur votre pinceau. Faites attention à ne pas empiéter sur la couleur jaune, qui doit rester pure, lorsque vous colorez la zone d'ombre. Peignez l'ouverture de la figue mûre avec un carmin foncé très pur. Attendez ensuite que toutes les couleurs soient parfaitement sèches, puis appliquez un glacis très transparent sur la totalité du fond en utilisant pour cela l'eau de nettoyage des pinceaux.

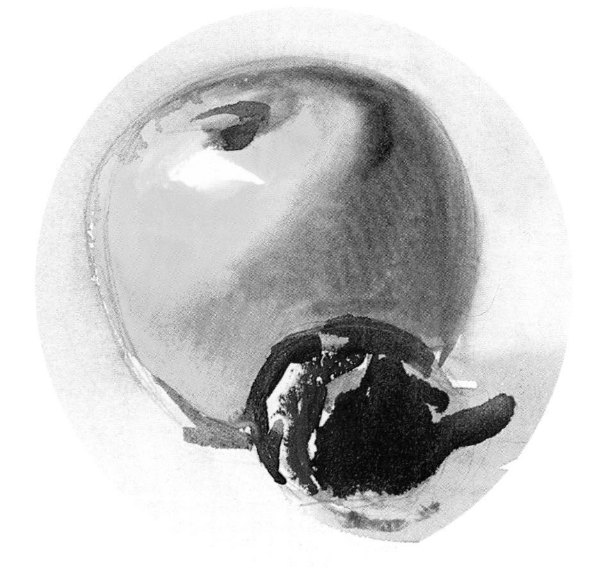

6. Lorsque le fond est sec, peignez la figue qui se trouve au premier plan avec un bleu outremer très lumineux, en laissant en blanc les zones qui correspondent aux reflets. Utilisez également cette couleur pour peindre l'ombre de cette pomme et de cette figue sur la table. La couleur lumineuse de la figue étant presque sèche, tracez-y un trait plus foncé tout en laissant une frange lumineuse des deux côtés de l'ouverture.

7. Ouvrez un clair dans la partie supérieure de la figue en y passant à plusieurs reprises un pinceau humide et propre. Avant que cette zone soit sèche, appliquez la couleur orangée qui fusionne très rapidement avec le violacé de la couche précédente. Vous obtiendrez les tons les plus foncés à l'aide d'un violet issu d'un mélange de carmin foncé et de bleu de cobalt ; vous pouvez également y ajouter une petite quantité de bleu outremer. Tant que la couleur est humide, vous pouvez en enlever une partie en y passant un pinceau à plusieurs reprises. Si, au contraire, la couleur est totalement sèche, vous pourrez ouvrir des blancs, mais il vous faudra insister avec le pinceau.

8. *Lorsque l'excès d'humidité a séché, soulignez les contrastes les plus intenses sur la dernière figue que vous avez peinte. À l'aide d'un pinceau presque sec, rehaussez l'ombre sur la table en essayant de faire en sorte que la texture du pinceau soit visible ; cela ne sera possible que si le fond est parfaitement sec. Ainsi se termine cet exercice qui vous a permis de vous exercer aux deux principales techniques de l'aquarelle ; il ne s'agit pas d'un exercice difficile, à condition que vous respectiez le temps de séchage de chacune des zones concernées.*

SCHÉMA - RÉSUMÉ

Dans le cas de **la pomme qui se trouve au premier plan,** la couleur foncée se fond avec la couleur plus lumineuse car le second ton a été appliqué sur le premier alors que celui-ci était encore humide.

Les tons foncés de **la figue de gauche** doivent être appliqués lorsque la première couche de couleur est sèche.

La première couleur devant être appliquée est celle de la pomme qui se trouve au fond ; dans ce cas, les différents apports de couleur ont lieu sur le fond jaune humide.

Les figues se trouvant près de la pomme du fond ne doivent pas être peintes avant que celle-ci soit totalement sèche.

Le fond est recouvert d'un glacis presque transparent ; les couleurs peintes précédemment ne fusionnent pas avec ce ton car le glacis n'est appliqué que lorsque l'ensemble des couleurs est sec.

THÈME

7 Ouverture de blancs

OBTENTION DE BLANCS PAR OUVERTURE

Comme le mot *ouverture* l'indique, il s'agit d'ouvrir quelque chose qui est momentanément fermé. Dans le domaine de l'aquarelle, ouvrir équivaut à rendre au papier la lumière que la couleur lui a enlevée. Différentes techniques permettent de réaliser une ouverture de blanc en aquarelle. Elles tendent toutes vers le même but : enlever la couleur qui a été appliquée sur le papier. La couleur peut être enlevée de différentes façons et celles-ci provoquent, à leur tour, différents effets. Cette page vous propose des exercices simples et très rapides à exécuter, qui vous fourniront les éléments nécessaires à la résolution de différents types d'ouvertures de blancs que vous pourrez ensuite appliquer à des exemples plus complexes.

Le nouveau venu dans le monde de l'aquarelle aura plus d'une fois entendu des phrases du type « l'aquarelle ne peut pas être corrigée ». Cela n'est pas totalement vrai ; en fait, la richesse technique de ce médium est telle que l'une de ses ressources les plus intéressantes est précisément l'ouverture des blancs. Les clairs ou les blancs ouverts peuvent présenter diverses utilités, qui vont de la simple correction d'une zone peinte par erreur à l'élaboration de toutes sortes d'effets techniques ou de textures.

▶ **1.** *Cet exercice doit être réalisé alors que la couleur est encore humide. Peignez une zone carrée avec une couleur quelconque, puis tamponnez la moitié de la surface à l'aide d'une éponge sèche ; celle-ci absorbe une partie de la couleur fraîche et laisse l'empreinte de sa texture sur le papier.*

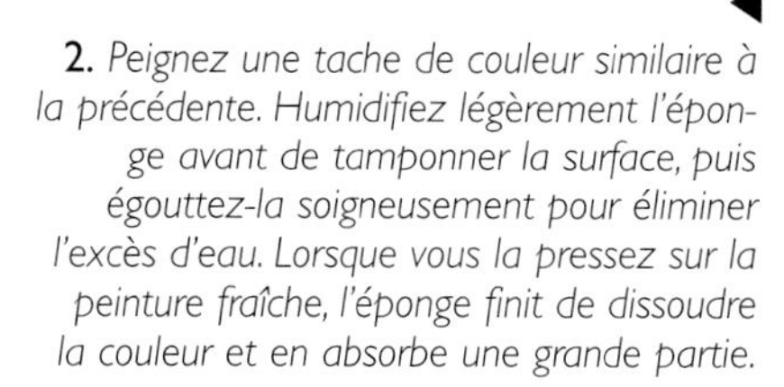

◀ **2.** *Peignez une tache de couleur similaire à la précédente. Humidifiez légèrement l'éponge avant de tamponner la surface, puis égouttez-la soigneusement pour éliminer l'excès d'eau. Lorsque vous la pressez sur la peinture fraîche, l'éponge finit de dissoudre la couleur et en absorbe une grande partie.*

▶ **3.** *Peignez une tache de couleur similaire aux précédentes. Humidifiez légèrement l'éponge avant de tamponner la surface puis égouttez-la soigneusement pour éliminer l'excès d'eau. Passez l'éponge humide sur la couleur encore fraîche en appuyant et en frottant légèrement ; vous obtiendrez une plus grande blancheur que lorsque vous exercez une simple pression.*

◀ **4.** *Ce dernier essai s'effectue à l'aide d'un pinceau. Peignez une tache de couleur carrée ; passez le pinceau sur la surface encore humide, puis lavez-le et égouttez-le. Répétez cette opération à plusieurs reprises, au même endroit. Vous obtiendrez une ouverture de blanc beaucoup plus maîtrisée qu'avec l'éponge.*

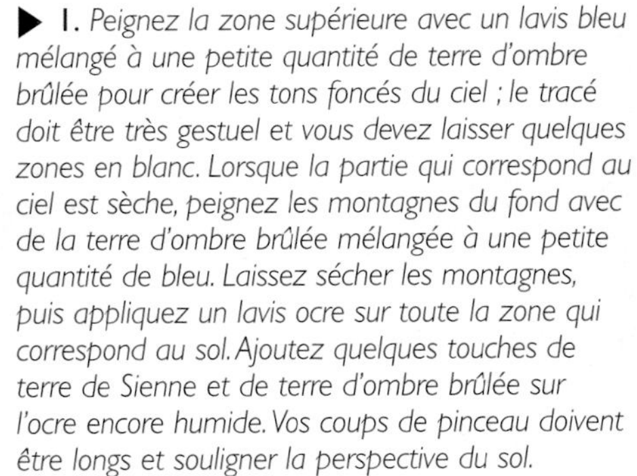

▶ **1.** *Peignez la zone supérieure avec un lavis bleu mélangé à une petite quantité de terre d'ombre brûlée pour créer les tons foncés du ciel ; le tracé doit être très gestuel et vous devez laisser quelques zones en blanc. Lorsque la partie qui correspond au ciel est sèche, peignez les montagnes du fond avec de la terre d'ombre brûlée mélangée à une petite quantité de bleu. Laissez sécher les montagnes, puis appliquez un lavis ocre sur toute la zone qui correspond au sol. Ajoutez quelques touches de terre de Sienne et de terre d'ombre brûlée sur l'ocre encore humide. Vos coups de pinceau doivent être longs et souligner la perspective du sol.*

NETTOYER UNE ZONE HUMIDE

Bien que vous ayez déjà réalisé, au cours des thèmes précédents, différentes ouvertures de blancs appliquées par exemple au traitement du ciel, les possibilités de cette ressource sont bien plus riches. Le blanc du papier ressort beaucoup mieux lorsque la couleur est humide, mais il retrouve difficilement sa luminosité d'origine lorsque l'on pratique une ouverture de clair ou de blanc, même sur une couleur humide, excepté si le papier est de très bonne qualité. Les caractéristiques d'un blanc ouvert dépendent donc de la qualité du papier. Un papier de grande qualité permet d'ouvrir des clairs dans toute la gamme de tons de la couleur concernée, jusqu'au blanc.

▶ **2.** *Profitez du fait que le fond est encore humide pour réaliser différentes ouvertures de clairs à l'aide d'un pinceau propre et sec. Placez tout d'abord le pinceau au centre de la ligne d'horizon et ouvrez de longues lignes soulignant la perspective du paysage. Étant donné que le papier est humide et que vous n'insistez pas excessivement avec le pinceau, les zones ouvertes ne retrouveront pas la blancheur du papier. Ouvrez une zone beaucoup plus étendue et plus blanche dans le centre de la surface correspondant au sol. Pour obtenir un blanc plus pur, passez le pinceau sur cette zone, rincez-le et égouttez-le, puis répétez cette opération à plusieurs reprises.*

▶ **3.** *Étant donné qu'il s'agit d'une simple application pratique de l'ouverture de clairs, il n'est pas nécessaire que vous atteigniez ce degré de finissage du tableau. Néanmoins, si vous le souhaitez, et lorsque le lavis du sol est sec, vous pouvez appliquer les tons plus foncés qui laissent entrevoir les clairs et les couches précédentes.*

▶ 1. *Cette silhouette d'arbre n'est pas difficile à dessiner et ne doit pas nécessairement être identique au modèle. Peignez tout d'abord le tronc avec de la terre d'ombre brûlée très foncée ; les couleurs en tube permettent d'obtenir des tonalités beaucoup plus foncées que les couleurs en pastilles en raison de leur densité. Comme vous pouvez le constater, presque toute la luminosité du papier est masquée. La couleur doit être parfaitement sèche avant que vous ne poursuiviez cet exercice ; vous pouvez accélérer le séchage à l'aide d'un sèche-cheveux.*

◀ 2. *Lorsque la couleur est parfaitement sèche, mouillez un pinceau rond assez gros et égouttez-le pour éliminer l'excès d'eau. Passez-le ensuite verticalement et à plusieurs reprises sur la couleur sèche. Au bout de plusieurs passages, la couleur se ramollit et adhère au pinceau. Lorsque le pinceau commence à se tacher de couleur, lavez-le puis égouttez-le avant de répéter l'opération d'ouverture de blancs. Plus vous insisterez sur une zone déterminée, plus celle-ci sera blanche.*

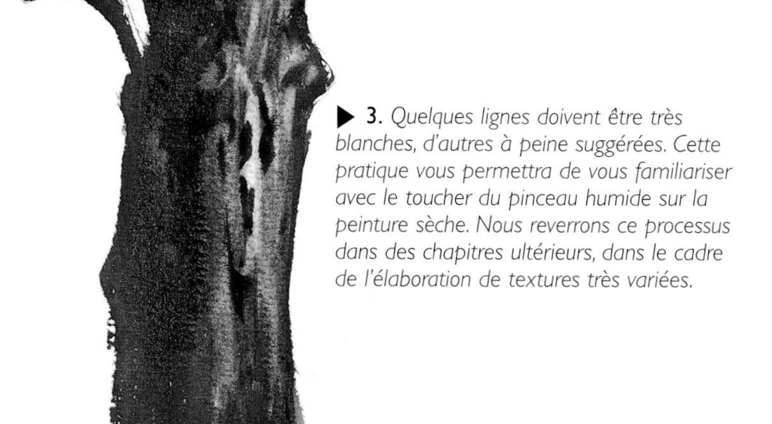

▶ 3. *Quelques lignes doivent être très blanches, d'autres à peine suggérées. Cette pratique vous permettra de vous familiariser avec le toucher du pinceau humide sur la peinture sèche. Nous reverrons ce processus dans des chapitres ultérieurs, dans le cadre de l'élaboration de textures très variées.*

NETTOYER UNE ZONE SÈCHE

À plus d'une occasion, il arrive que l'aquarelliste remarque qu'il est nécessaire d'ouvrir un clair ou un blanc proche du ton du papier dans l'une des zones qu'il pensait avoir terminée. Tout comme il est possible de ramollir une couleur sèche dans le godet de la palette, vous pouvez faire de même sur le papier. Les deux exemples développés sur cette page et sur la suivante sont fondamentaux pour la résolution de nombreux effets techniques, quel que soit le niveau de l'apprentissage.

▶ **1.** *Ce processus peut, à première vue, vous sembler quelque peu exagéré, mais il vous suffira de le suivre dans la pratique pour apprendre à ouvrir des clairs d'une forme déterminée. La réalisation de ce type d'exercice vous permettra par la suite de corriger des compositions incorrectes ou d'ajouter de nouveaux éléments dans des zones complexes ou très foncées. Peignez tout d'abord les fleurs rouges ; leur élaboration est très simple. Passez ensuite aux tiges, puis peignez le fond avec un bleu très foncé. La peinture doit être parfaitement sèche avant que vous commenciez l'exercice.*

AJOUTER UN ÉLÉMENT

Il peut arriver qu'une fois le tableau fini, alors qu'il est déjà totalement sec, vous vous rendiez compte qu'il vous faut peindre un élément supplémentaire. Cela ne vous posera aucun problème si le fond ou les composants du tableau sont très lumineux car il est toujours possible d'appliquer une couleur foncée sur une couleur claire. Si, au contraire, le fond est de couleur foncée, vous devrez nettoyer la zone et l'éclaircir avant d'appliquer la couleur claire.

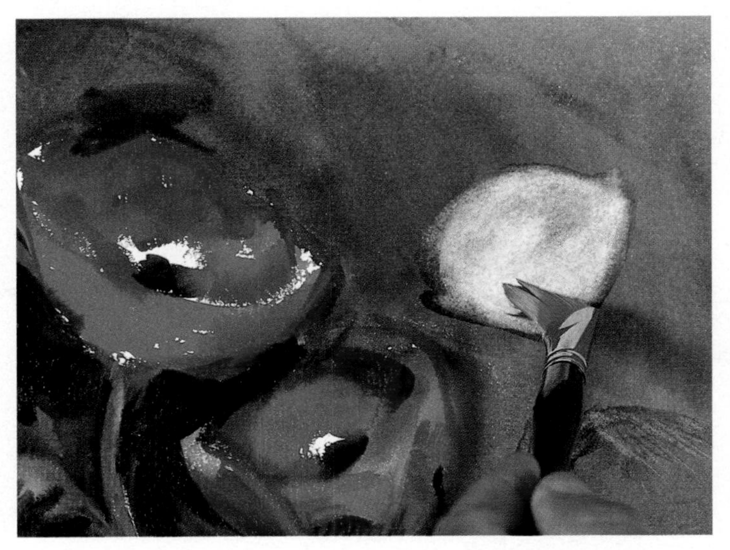

▶ **2.** *Sur la page précédente, vous avez ouvert des lignes verticales pour extraire des blancs sur le tronc d'arbre. De la même façon, utilisez maintenant un pinceau humide pour ramollir et nettoyer la zone correspondant à la forme de la nouvelle fleur. Étant donné que ce qui vous intéresse est d'obtenir un blanc le plus lumineux possible, vous devrez insister à l'aide du pinceau humide et propre. C'est pour ce type de travail que la qualité du papier revêt toute son importance. Un papier de bonne qualité vous permettra de réaliser un travail très soigné alors que si le papier est de mauvaise qualité, il est possible que vous ne puissiez pas nettoyer la zone de façon appropriée.*

▶ **3.** *Lorsque le fond qui correspond à la forme de la fleur est totalement nettoyé, vous pouvez peindre celle-ci avec les couleurs adéquates. La luminosité des couleurs appliquées dépendra du blanc que vous aurez pu obtenir.*

pas à pas

Un vase blanc

Le blanc est l'une des couleurs les plus importantes de la technique de l'aquarelle. Bien que cette couleur soit présente dans n'importe quelle œuvre à l'aquarelle, elle n'existe pas physiquement en tant que peinture, il s'agit de la couleur du papier. Lorsque l'aquarelliste peint, une partie de la luminosité du blanc du papier disparaît sous la couleur appliquée. Cet exercice vous permettra de vous exercer à employer la couleur blanche du papier et à la délimiter avec des couleurs très foncées. Nous étudierons également divers aspects traités tout au long de cette leçon comme, par exemple, l'ouverture d'un clair par absorption de la couleur.

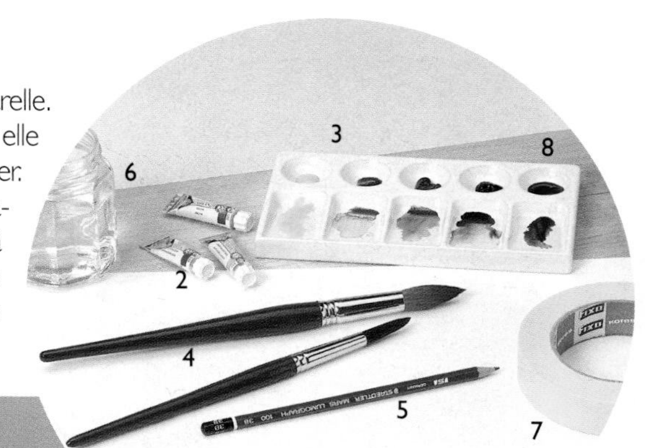

MATÉRIEL NÉCESSAIRE

Papier à aquarelle (1), aquarelles (2), palette (3), pinceaux à aquarelle (4), crayon à papier (5), récipient rempli d'eau (6), ruban adhésif (7) et support (8).

1. *Avant de commencer à peindre, il est important que vous définissiez de façon exacte la zone qui sera occupée par les blancs. Le dessin du vase vous permettra de séparer clairement les limites de celui-ci et le fond. Dans le cas de cet exercice, il est important que les zones foncées soient bien différenciées sur le dessin car les tons foncés serviront à délimiter la forme des tons et des couleurs plus claires.*

PAS À PAS : Un vase blanc

2. *Préparez un mélange de terre de Sienne, d'ombre brûlée et de bleu, et appliquez le lavis obtenu sur toute la zone du fond. La forme du vase est parfaitement délimitée par cette couleur foncée et la zone correspondant à l'objet semble être peinte en blanc. Prenez soin, lorsque vous peignez le fond, de ne pas empiéter sur la zone destinée aux couleurs claires.*

3. *Lorsque le fond est sec, peignez la partie correspondant au vase avec un lavis très clair, presque transparent. Appliquez cette couleur de droite à gauche, à coups de pinceau inclinés, en laissant la zone éclairée qui se trouve du côté gauche en réserve. Avant que ce ton soit sec, ouvrez la frange lumineuse qui se trouve à droite à l'aide d'un pinceau humide et propre, de la même façon que vous avez ouvert les blancs dans la première partie de ce thème. N'insistez pas trop avec le pinceau si vous ne souhaitez pas ouvrir un blanc parfait.*

4. *Profitez du fait que le ton grâce auquel vous avez simulé l'ombre est encore humide pour estomper toute la zone d'ombre à l'aide d'un pinceau large, en procédant délicatement. Pour foncer le ton de la palette, il vous suffit d'y ajouter un peu plus de couleur. Utilisez un mélange de bleu et d'ombre brûlée pour obtenir les tons gris du vase. Employez ensuite un pinceau humidifié avec de l'eau propre pour fondre la couleur et le blanc, et atténuer ainsi les contours de l'ombre.*

5. À l'aide de quelques coups de pinceau rapides similaires à ceux du début, appliquez un glacis gris sur l'ombre ; le ton utilisé doit être légèrement plus sombre que la couleur précédente. Passez un pinceau humide, épais et large, sur le côté droit, mais en enlevant très peu de couleur ; cela vous permettra de redéfinir le contour droit du vase. Lorsque le lavis du fond est parfaitement sec, peignez le décor du vase avec un bleu très clair, puis appliquez-y un nouveau ton de bleu, beaucoup plus foncé.

Tant que la couleur est humide, il est très facile de la modifier à l'aide d'un pinceau propre et sec.

6. Finissez de peindre le décor du vase sans trop charger votre pinceau de couleur. Avec un ton terre de Sienne mélangé à une petite quantité de bleu beaucoup plus foncé que le ton initial, peignez de nouveau le fond et délimitez soigneusement la forme du vase. Vous remarquerez que, sur l'exemple, la forme du vase a été entamée sur le côté gauche.

7. Vous pouvez constater que la légère erreur commise au centre du vase a été corrigée en ouvrant un blanc à l'aide d'un pinceau humide et propre passé à plusieurs reprises sur la partie concernée pour estomper la couleur bleue qui entourait cette zone. Notez également le début de rectification de l'arrondi du pourtour gauche. L'aquarelliste a tout d'abord tenté de rattraper l'arrondi en le modifiant à l'aide du ton foncé du fond, mais cela s'est avéré insuffisant. Il lui a fallu rectifier l'arrondi depuis l'intérieur du vase, en ouvrant le ton correspondant.

8. *Supposons que vous deviez rattraper l'arrondi. Commencez à rectifier la forme du pourtour gauche du vase à l'aide d'un pinceau humide et propre qui vous permettra d'enlever la couleur appliquée par erreur. Répétez cette opération à plusieurs reprises en procédant délicatement ; le pourtour du vase retrouvera progressivement sa forme. La correction étant terminée, laissez sécher cette zone et appliquez les dernières touches de couleur sur le décor. Lorsque celui-ci est sec, donnez quelques coups de pinceau de couleur foncée sur la zone d'ombre du vase et appliquez un glacis jaune presque transparent. Réservez les reflets les plus lumineux lors de ce dernier apport de couleur.*

SCHÉMA - RÉSUMÉ

Zone blanche réservée depuis le début du travail. Le reflet situé à l'intérieur du cou du vase est resté intact depuis le début.

Blanc ouvert par retrait de la couleur à l'aide d'un pinceau humide et propre.

La zone droite de l'ombre a été éclaircie par divers retraits de couleur, mais sans ouvrir totalement le blanc.

Dans la partie gauche de l'ombre, la forme du vase a été retouchée par retraits successifs du ton foncé du fond à l'aide d'un pinceau.

THÈME

8 Blancs et réserves

Dans le thème précédent, nous avons étudié comment ouvrir des blancs pour extraire la couleur du fond du papier à des fins diverses ; dans celui-ci, nous allons également traiter le blanc, mais d'une autre façon. Il existe une différence entre ouvrir un blanc lorsque le ton a déjà été appliqué sur le papier et réserver une zone blanche dès le début. La réserve peut être obtenue manuellement par omission de la couleur dans une zone déterminée ou par application d'une gomme à masquer, un produit qui s'applique au pinceau et imperméabilise la zone recouverte.

LA RÉSERVE MANUELLE

La réserve manuelle s'effectue à main levée. Elle permet d'éviter que l'humidité ou la couleur pénètre dans une zone destinée à accueillir un blanc ou une couleur claire. Il est important de faire particulièrement attention à ne pas tacher la zone réservée lors de cette opération. L'une des meilleures méthodes permettant d'effectuer ce type de réserve consiste à soigner l'exécution du dessin initial. La couleur et le pinceau ne doivent pas dépasser la ligne tracée au crayon à papier.

▼ 1. *Avant de commencer à appliquer la couleur, il est nécessaire que vous réalisiez un dessin détaillé respectant les formes principales et les points de lumière qui devront être réservés en tant que blancs parfaits. L'une des erreurs courantes d'un grand nombre de débutants consiste à commencer à peindre avant d'avoir terminé la phase de dessin. N'oubliez pas que celle-ci est toujours fondamentale dans la technique de l'aquarelle. Le dessin étant fini, vous pouvez commencer à peindre ; appliquez tout d'abord les tons les plus clairs pour isoler les zones de reflets sur lesquelles la couleur ne doit pas empiéter.*

▶ 2. *Peignez ensuite les tons plus foncés sur les couleurs claires ; si le ton initial est parfaitement sec, vous pouvez créer de nouvelles zones de réserve qui conserveront ce ton. Les points les plus lumineux doivent rester intacts, sauf s'ils nécessitent un réajustement de ton.*

◀ 3. *L'application successive de plusieurs glacis vous permettra d'échelonner la création de zones de réserve pour obtenir différents tons de reflets. Les points les plus lumineux correspondront à des zones réservées dès le début du travail ; celles que vous aurez réservées lors de l'apport suivant seront moins lumineuses, et ainsi de suite.*

LA RÉSERVE MÉCANIQUE : LA GOMME DE RÉSERVE

Bien qu'elle porte un nom compliqué, la réserve mécanique consiste simplement en l'interposition d'un élément qui empêche l'application de couleur sur le papier dans une zone déterminée. La réserve mécanique peut être obtenue de différentes façons, mais la plus simple pour l'aquarelliste consiste à utiliser une gomme de réserve. Il s'agit d'une pâte liquide qui s'applique au pinceau et qui, lorsqu'elle est sèche, imperméabilise la zone recouverte. Pour l'enlever, il suffit d'y passer le doigt ; elle laisse alors place au blanc du papier.

▼ **1.** *Cet exercice est très simple et vous permettra de vous exercer à l'emploi de la gomme de réserve. Peignez quelques troncs d'arbres très schématiques avec une terre de Sienne. Il n'est pas nécessaire que vous entriez dans les détails ; il vous suffit de tracer des lignes qui situent le volume principal et quelques branches.*

▶ **2.** *Laissez sécher le lavis précédent avant d'étaler la gomme de réserve, qui s'applique au pinceau. La gomme utilisée pour cet exemple est jaunâtre, mais il en existe également de couleur grise. Elle possède une couleur différente du blanc pour la distinguer du papier. Plongez uniquement la touffe et non pas la totalité du pinceau dans le récipient contenant la gomme. Rincez immédiatement le pinceau après avoir appliqué la gomme pour éviter qu'elle sèche.*

▶ **3.** *La gomme de réserve sèche très rapidement. Vous pouvez la recouvrir de n'importe quel ton ou de n'importe quelle tonalité ; la zone protégée par la gomme ne laissera en aucun cas pénétrer l'humidité de l'aquarelle.*
Il est nécessaire de laisser sécher la couleur avant de retirer la gomme qui, en séchant, se transforme en une pellicule élastique très facile à enlever. Il vous suffit de la frotter avec le doigt. Lorsque vous retirez la gomme, elle laisse apparaître la zone blanche qu'elle cachait.

◀ *4. Effets pouvant être obtenus grâce à la gomme de réserve.*

LAVIS ET RÉSERVE, LA DÉTREMPE BLANCHE

Les réserves peuvent être réalisées de différentes façons, mais elles ont toujours pour but d'isoler un fragment du fond du papier en tant que blanc le plus lumineux. Néanmoins, lorsque le papier n'est pas blanc, il est impossible d'utiliser la couleur de la feuille en tant qu'élément le plus lumineux du tableau, excepté si vous introduisez un médium étranger à l'aquarelle, la détrempe blanche. Contrairement au blanc de Chine mentionné dans les thèmes précédents, la détrempe blanche est totalement opaque et permet d'obtenir des blancs parfaits, quelle que soit la phase d'exécution du tableau. La détrempe blanche s'emploie essentiellement pour la mise en relief de certaines zones sur les papiers de couleur. Cet exercice simple vous permettra de comparer le travail sur papier de couleur et sur papier blanc.

▼ **1.** *Il vous faut disposer de deux types de papier pour réaliser cet exercice : un papier blanc et un papier de couleur. Fixez les deux feuilles côte à côte sur le support à l'aide d'un ruban adhésif. Dans le cas présent, le papier de gauche est de couleur crème et celui de droite est parfaitement blanc. Comme vous pouvez le supposer, vous ne pourrez pas peindre de blancs sur le papier de couleur car, en aquarelle, le blanc correspond aux zones réservées sur le fond du papier. Réalisez un travail similaire sur les deux feuilles. Le papier blanc vous permettra d'obtenir toutes sortes de tons, y compris le blanc, qui proviendra des réserves ; par contre, le ton le plus clair que vous pourrez obtenir sur le papier de couleur sera celui de la feuille.*

▶ **2.** *Utilisez de la détrempe blanche pour compenser l'absence de blanc sur le papier de couleur. Grâce à cet apport, le tableau gagnera en dynamisme et en effets de lumière. Nous vous conseillons néanmoins de laisser quelques zones de réserve pour que la couleur du fond respire au milieu des zones plus foncées de couleur bleue.*

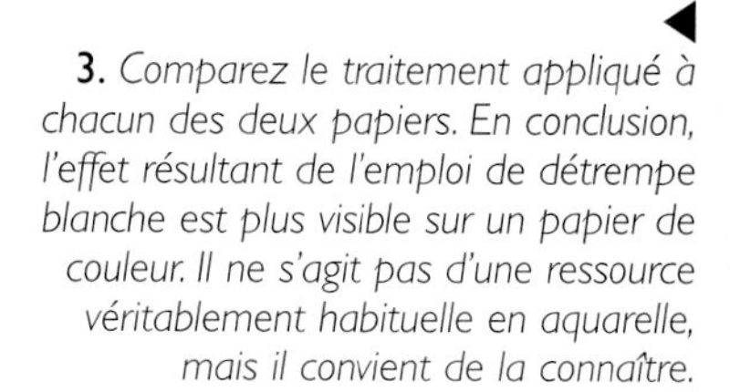

◀ **3.** *Comparez le traitement appliqué à chacun des deux papiers. En conclusion, l'effet résultant de l'emploi de détrempe blanche est plus visible sur un papier de couleur. Il ne s'agit pas d'une ressource véritablement habituelle en aquarelle, mais il convient de la connaître.*

SUPERPOSITION DE GLACIS ET RÉSERVES PROGRESSIVES

Comme vous avez pu le constater tout au long des divers thèmes, la superposition d'un second glacis à un premier glacis déjà sec a pour conséquence l'addition des deux tons ou couleurs employés.

Cet effet peut également être utilisé pour obtenir des zones réservées. Nous avons déjà étudié dans ce thème l'application de la gomme de réserve pour obtenir des blancs parfaits ; si au lieu d'appliquer la gomme liquide sur le blanc du papier, vous l'appliquez sur une surface peinte et sèche, lorsque vous la retirerez, la zone de réserve aura conservé la couleur de cette surface.

Les zones de réserve blanches peuvent également être peintes avec des tons clairs affectant peu les couleurs qui les entourent.

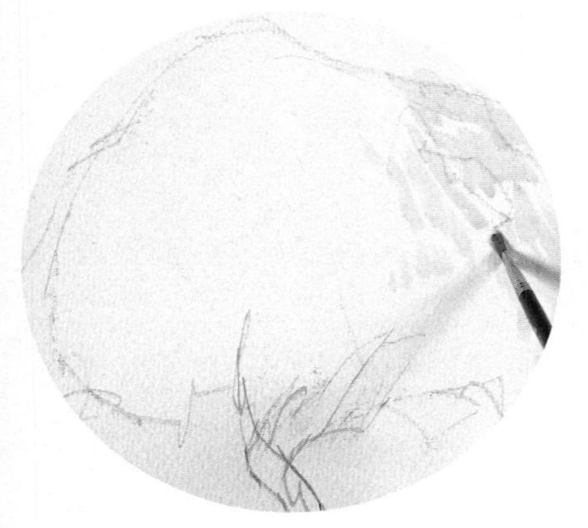

▼ **1.** *Pour réaliser la première réserve à la gomme liquide, dessinez tout d'abord, de façon schématique, la forme que vous souhaitez donner à cette réserve. À l'aide d'un pinceau moyen imprégné de gomme, tracez les zones qui doivent rester blanches pendant la première phase d'application des glacis.*

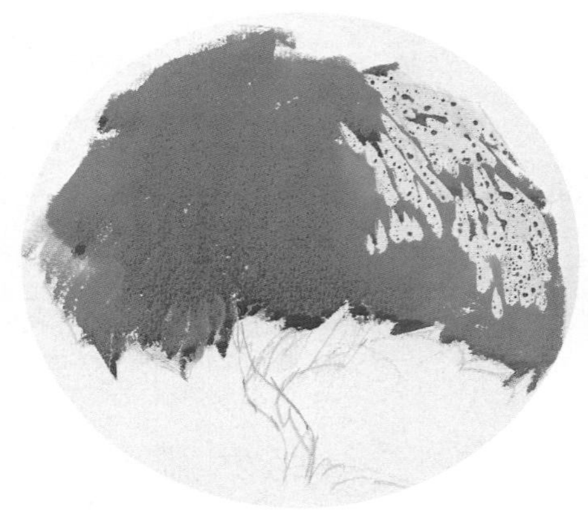

▼ **2.** *La gomme étant sèche, peignez le feuillage de l'arbre de façon uniforme. Comme nous l'avons vu précédemment, la couleur ne pénètre pas dans la zone réservée à l'aide de la gomme. Bien qu'il s'agisse d'un processus plus lent et requérant plus de travail, ce système de réserve est plus sûr que la réserve manuelle. L'emploi de la gomme de réserve est particulièrement indiqué pour les petits détails et les zones difficiles à réserver à main levée.*

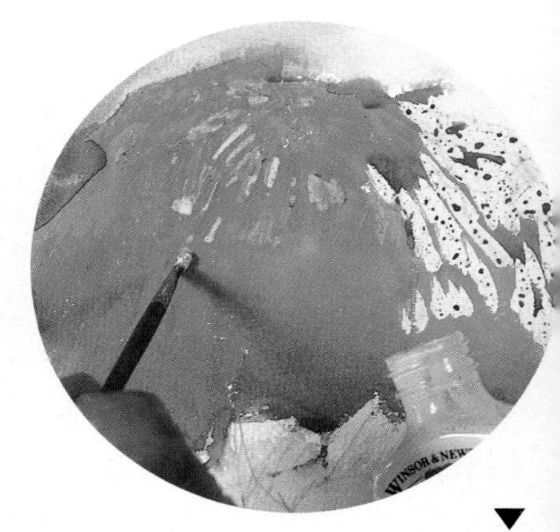

▼ **3.** *Après avoir laissé sécher la couleur et avant de retirer la gomme, définissez de nouvelles zones de réserve. La couleur réservée sera cette fois le ton de vert que vous avez peint en premier lieu.*

▶ **4.** *Peignez toute la cime de l'arbre avec une tonalité de vert légèrement plus foncée. Lorsque l'aquarelle est sèche, retirez le premier masque de gomme ; il laisse place à la couleur d'origine du papier. Enlevez ensuite la seconde réserve : la couleur du premier glacis apparaît. Vous pouvez alors retoucher les zones anciennement réservées à l'aide de tons lumineux qui souligneront la texture de l'arbre.*

pas à pas

Paysage de montagne

Nous avons développé dans ce thème divers processus d'application de réserves. Notre choix s'est porté sur un paysage enneigé pour l'exercice suivant, qui comprend une grande zone de réserve correspondant à la montagne enneigée. Ce tableau nécessite l'application de plusieurs réserves successives où le blanc du papier jouera le rôle principal.

8
6
1
2
5
7
3
4

MATÉRIEL NÉCESSAIRE

Papier à aquarelle (1), aquarelles (2), palette ou assiette (3), pinceaux à aquarelle (4), crayon à papier (5), récipient rempli d'eau (6), ruban adhésif (7) et support (8).

1. *La peinture de paysages est particulièrement conseillée aux personnes qui apprennent à peindre à l'aquarelle car le dessin initial exige moins de précision pour ce type de sujet que pour les natures mortes et les personnages. Il est plus facile de dessiner quelques lignes représentant une montagne que, par exemple, d'esquisser l'ovale d'une assiette en perspective. L'exécution du dessin correspondant à cet exemple est particulièrement simple, bien qu'il soit nécessaire de dessiner les parties qui accueilleront les tons plus foncés de la montagne ; cela vous permettra de réaliser la réserve de blanc avec une grande précision.*

2. *Pour réserver la zone blanche correspondant aux montagnes, mouillez tout d'abord toute la partie qui représente le ciel en y passant à plusieurs reprises un pinceau imbibé d'eau propre, sans jamais empiéter sur la zone correspondant aux montagnes. L'humidité vous permettra de délimiter la surface à peindre car la couleur ne s'étalera que sur les zones préalablement humidifiées. Commencez à appliquer différentes intensités de couleur en partant de la zone supérieure : du bleu de cobalt et une pointe d'ocre pour obtenir des tons verdâtres.*

Les zones réservées manuellement permettent de conserver intactes les parties correspondant aux blancs.

3. *Sur la couleur précédente, sèche, appliquez un bleu outremer très pur ; étant donné que le bleu isole maintenant les zones qui étaient précédemment occupées par la première tonalité grise, la couleur initiale devient la première zone réservée. Dans la partie inférieure, la couleur bleue délimite et réserve la zone qui représentera les nuages couronnant la montagne. Pour conserver la réserve de la montagne, humidifiez de nouveau la bande de ciel qui les délimite à l'aide d'un pinceau et d'eau propre. Vous pouvez peindre les nuages de l'horizon sans risquer d'empiéter sur la zone blanche réservée.*

4. *Profitez du fait que les contours de la montagne sont encore humides pour finir de peindre les nuages les plus bas. Utilisez du bleu de cobalt et une petite quantité de terre d'ombre brûlée pour que les nuages aient un aspect menaçant. Ne peignez pas toute cette zone de façon uniforme, combinez des lavis d'intensités différentes de façon à obtenir des zones plus claires et d'autres plus foncées. Réservez les parties les plus lumineuses des nuages pendant que vous peignez les plus foncées. Vous pouvez maintenant constater l'importance de la réserve de bleu outremer pour la réalisation des gros nuages ; les nuages bas de l'horizon font également ressortir la réserve blanche correspondant à la montagne.*

5. *Commencez par la zone d'ombre de la montagne ; peignez-la avec du bleu outremer mélangé à une petite quantité de bleu céruléen. Le mélange doit être bien dilué et appliqué avec précision sur la zone préalablement dessinée. Laissez un espace blanc étroit entre l'ombre et les nuages pour éviter que la tache de couleur bleue empiète sur ceux-ci. Considérez que cette frange blanche fait partie de la zone réservée.*

6. *Après avoir peint la zone correspondant à l'ombre qui se trouve sur la partie gauche de la montagne, appliquez quelques tonalités issues d'un mélange de bleu de cobalt et d'une petite quantité d'ocre sur cette même zone. Peignez les tonalités d'ombre les plus lumineuses de la montagne avec un lavis presque transparent, toujours sur le fond sec pour conserver le blanc le plus lumineux en réserve. Commencez ensuite à peindre les arbres situés à droite ; utilisez pour ce faire un mélange de vert foncé et de bleu, auquel vous ajouterez une petite quantité de terre de Sienne. Vos coups de pinceau doivent être courts et verticaux. Espacez-les dans la zone supérieure pour que le blanc du fond respire.*

7. *Complétez la partie droite du tableau en appliquant de nombreux coups de pinceau sur le fond sec pour représenter la zone boisée. Il est important de réserver la zone délicate dans laquelle le fond du papier est visible à travers les arbres. Bien qu'elle semble inclure de nombreux détails, le traitement de toute cette zone est très gestuel. Un tracé rapide vous permettra d'obtenir la couleur foncée de la forêt ; le début et la fin de ces coups de pinceau ont une importance fondamentale. Ne chargez pas trop votre pinceau pour éviter d'obtenir des taches trop étendues. Pour terminer, appliquez de petits coups de pinceau isolés pour représenter les arbres disséminés dans la montagne.*

8. *Vous venez d'effectuer les dernières retouches sur les éléments foncés de la zone boisée à l'aide d'un mélange où prédominent la terre d'ombre brûlée et le vert foncé. Appliquez ensuite un lavis bleu outremer sur la zone qui se trouve sur la gauche. Ainsi se termine ce travail dans lequel la réserve de blanc a joué le rôle principal.*

SCHÉMA - RÉSUMÉ

Le bleu outremer du ciel fait également office de réserve pour le premier lavis de couleur grise.

Les gris de la montagne doivent être dessinés dès le début du travail ; de cette façon, la réserve de blanc est beaucoup plus précise.

Une dernière retouche de couleur très lumineuse est appliquée sur **la zone des gris qui se trouve sur la gauche.**

Le blanc le plus pur correspond à la couleur du papier.

La zone boisée laisse entrevoir le blanc du papier parce que le travail s'effectue sur fond sec.

Les petits détails des arbres disséminés sur la montagne sont traités à la fin du travail, lorsque le tableau est presque terminé.

THÈME

9 Techniques particulières

ACCESSOIRES SPÉCIAUX

L'aquarelle est particulièrement sensible à toute altération de sa surface. Cette qualité constitue un avantage lorsque le peintre connaît les ressources susceptibles de provoquer ces défauts. Il arrive souvent que l'aquarelliste soit, par hasard ou volontairement, à l'origine d'altérations de la surface telles que des éraflures, des griffures causées par la pointe du pinceau, etc. Nous allons, dans ce thème, traiter ces effets comme faisant partie des ressources habituelles de la peinture à l'aquarelle.

De nombreuses méthodes permettent d'altérer la surface de l'aquarelle. L'un des outils les plus courants dans les ateliers des aquarellistes est le sèche-cheveux portable ; il permet d'accélérer l'évaporation de l'eau. Le papier émeri est également un accessoire qui permet de modifier la surface du papier.

▶ 1. *Nous vous proposons de créer des textures sur les rochers à l'aide de papier-émeri. Appliquez la couleur foncée comme vous le faites habituellement. Les tons employés pour peindre les rochers peuvent être très foncés.*

▲ 2. *Certaines modifications de la couleur doivent uniquement être réalisées lorsque celle-ci est totalement sèche. Pour accélérer le séchage et être ainsi en mesure de travailler sur la masse foncée des rochers, séchez le papier à l'aide d'un sèche-cheveux électrique. Si le papier est très mouillé, évitez d'approcher excessivement le sèche-cheveux du tableau car l'air pulsé risquerait de provoquer des bavures ou de sécher la surface de façon irrégulière.*

3. *Frottez la surface représentant les rochers à l'aide d'un papier-émeri à grain moyen. Vous éliminerez ainsi les couleurs qui sont déjà sèches. L'usure du papier provoquera également la disparition de sa couche supérieure. N'appuyez pas trop sur le papier-émeri et contentez-vous de le passer sur les zones dont vous voulez modifier la texture et non sur toute la surface représentant les rochers.* ▲

▼ 4. *Vous pouvez ensuite appliquer des lavis très transparents ou des couleurs très foncées sur les surfaces texturées. La zone usée ne pourra jamais être entièrement recouverte.*

▶ 1. *Les effets susceptibles d'être obtenus à l'aquarelle peuvent être réalisés sur une surface totalement sèche ou sur de la peinture fraîche. Les résultats sont plus variés lorsque la couleur est humide car il ne s'agit pas simplement d'enlever la peinture ; sur certains papiers, il est possible de rehausser la couleur en y traçant des sillons, mais sans enlever la couche superficielle. L'expérience suivante s'effectue sur une couleur fraîche.*

GRATTER LE PAPIER AVEC LA POINTE DU PINCEAU

La partie opposée à la touffe du pinceau, c'est-à-dire l'extrémité du manche, est aussi un outil très pratique qui offre de nombreuses possibilités. Cette pointe permet de réaliser différents types d'interventions, principalement sur fond humide. Certains pinceaux possèdent une pointe effilée, alors que d'autres ont une pointe arrondie ; il existe aussi des pinceaux à aquarelle à pointe biseautée, spécialement conçus pour gratter la peinture.

▶ 2. *Alors que la surface peinte est encore humide, grattez-la avec la pointe de votre pinceau comme l'indique l'exemple ci-contre. N'appuyez pas trop ; il vous suffit de gratter légèrement le papier pour y laisser une marque. Cette méthode ne permet pas d'obtenir des blancs purs ; une petite quantité de couleur s'accumule à l'endroit où vous grattez la surface, sauf si vous insistez plusieurs fois avec le pinceau. Dans le cas présent, grattez deux fois de suite la zone que vous souhaitez éclaircir ; vous enlèverez ainsi une partie de la couleur au lieu de l'accumuler sur le papier ; le ton obtenu sera plus clair et le trait plus fin.*

▶ 3. *Cette technique permet également d'ouvrir des blancs tels que ceux du feuillage de l'exemple ci-contre. Il vous suffit pour cela d'appuyer fortement sur le pinceau sur fond mouillé. Tous les pinceaux ne permettent pas d'obtenir ce type d'effet car certains d'entre eux possèdent une pointe trop ronde. Pour réaliser des incisions susceptibles d'atteindre la couche supérieure du papier, vous pouvez également utiliser un cure-dent pointu.*

CUTTER ET ESSENCE DE TÉRÉBENTHINE

Une simple lame de rasoir ou un cutter permet de gratter le papier avec une grande précision. Ces instruments étant très coupants, ils ne doivent pas être utilisés sur du papier mouillé car il se déchirerait. Le cutter est un instrument plus pratique que la lame de rasoir car son manche permet à l'utilisateur de le manipuler avec la précision d'un crayon à papier. L'emploi d'essence de térébenthine au moment de peindre est également une ressource qui produit un effet intéressant sur l'aquarelle ; la superposition d'essence de térébenthine et d'une couche de couleur à l'aquarelle produit une texture très peu courante, qui mérite d'être expérimentée.

▶ *Le cutter permet de gratter la peinture sèche de façon très sélective et, si nécessaire, d'obtenir des lignes d'une grande finesse. La lame ne doit pas être appliquée verticalement car elle inciserait le papier ; placez-la horizontalement de façon qu'elle se contente de soulever la couleur. Le résultat obtenu est l'un des nombreux effets susceptibles d'être réalisés sur l'aquarelle sèche.*

1. *Ce petit exercice vous permettra de combiner la technique de la superposition d'essence de térébenthine à l'aquarelle et l'ouverture de blancs au cutter. Comme c'est le cas pour tous les exemples figurant dans ce livre, il convient que le peintre amateur en fasse l'expérience pratique ; c'est la seule façon de comprendre le fonctionnement de ces techniques. Comme pour tous les travaux à l'aquarelle, vous devrez ici aussi dessiner la forme du sujet avant de commencer à peindre. Cela étant fait, vous pouvez passer à l'application des couleurs. Trempez votre pinceau dans de l'essence de térébenthine et appliquez-en sur quelques-unes des zones du fond ; peignez ensuite le fond avec une couleur foncée. L'essence de térébenthine donne un aspect très texturé à l'aquarelle.* ▲

2. *Lorsque vous avez peint le fond, la forme du sujet est parfaitement délimitée. Utilisez un vert foncé pour peindre les feuilles de la plante. Appliquez de l'essence de térébenthine en grande quantité sur certaines zones et n'intervenez pas sur les autres. La couleur pénétrera mieux dans les endroits exempts d'essence de térébenthine.* ▲

▶ 1. *Même lors de l'emploi de ces techniques particulières, l'aquarelle reste assujettie à ses principes techniques de base, c'est-à-dire que pour éviter que deux tons ou deux couleurs se mélangent, il est nécessaire d'attendre que la première couche appliquée soit sèche avant de peindre la suivante. Le vert des feuilles étant sec, vous pouvez appliquer le rouge des fleurs centrales ; n'utilisez pas d'essence de térébenthine pour cette zone. Appliquez-en par contre sur la fleur supérieure, que vous peindrez avec un mélange d'ocre, de terre de Sienne et de rouge.*

LA COMBINAISON DES TECHNIQUES

L'emploi de techniques particulières ne doit pas nécessairement être une constante pour l'ensemble du tableau. En général, il est préférable d'utiliser ces techniques de façon très ponctuelle pour un sujet donné. Nous vous conseillons de combiner intelligemment toutes les techniques de l'aquarelle pour que le tableau ne soit pas surchargé d'effets.

▼ 2. *Lorsque l'ensemble du tableau est parfaitement sec, utilisez le cutter pour ouvrir de nouvelles textures et soulever le blanc du papier. Les traits longs donnent des lignes blanches, alors que si vous grattez de petites surfaces très proches les unes des autres, vous obtiendrez des zones blanches très texturées (technique employée pour la fleur supérieure).*

3. *Après avoir gratté les endroits choisis, vous pouvez y appliquer de nouveaux tons plus foncés pour accentuer les formes ou ajouter des glacis à travers lesquels il sera possible d'entrevoir le fond du papier.* ▲

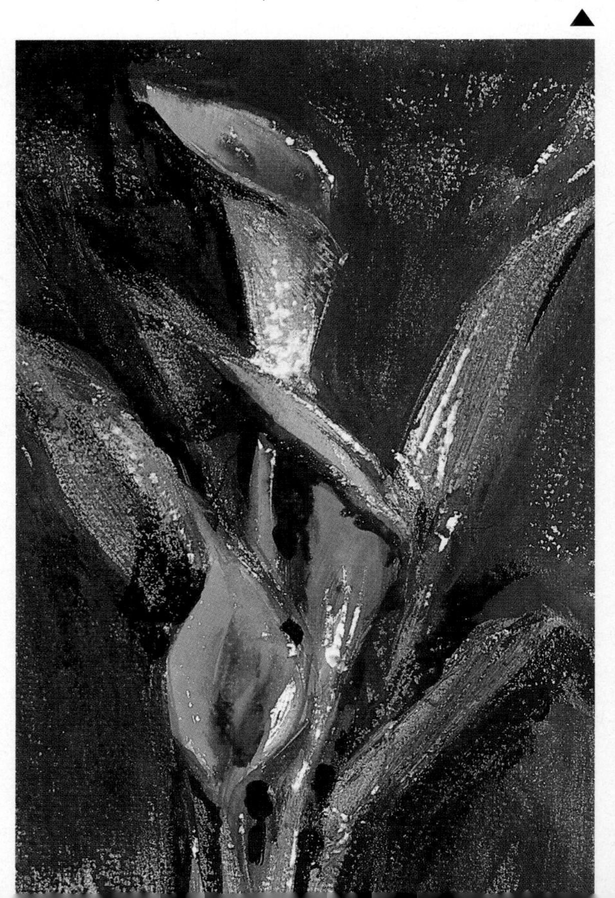

pas à pas

Marine avec bateaux

L'exercice qui occupe les pages suivantes va nous permettre de traiter un thème qui combine les principales techniques de l'aquarelle : la couleur diluée et les couches de couleur superposées à sec. Cet exemple n'inclut pas un très grand nombre d'effets de texture, il se contente de traiter ceux qui sont indispensables tels que le grattage au cutter ou à l'aide de la partie postérieure du pinceau. Le sujet est simple puisqu'il s'agit d'une marine avec bateaux ; vous ne rencontrerez aucune difficulté si vous suivez les différentes phases d'exécution expliquées ci-après.

MATÉRIEL NÉCESSAIRE

Aquarelles (1), crayon en graphite (2), papier à aquarelle (3), pinceaux à aquarelle (4), cutter (5) et récipient rempli d'eau (6).

1. *Un thème tel que celui-ci ne requiert pas une grande expérience de dessinateur, mais il vous faut au minimum savoir comment schématiser la forme du bateau à l'aide de quelques lignes indispensables. Cela étant fait, vous pourrez commencer à appliquer les premières couleurs.*

2. Appliquez un premier lavis bleu transparent sur le fond en délimitant les formes du bateau à l'aide du pinceau. Souvenez-vous qu'en aquarelle, la couleur blanche correspond à celle du papier, ce qui implique que chaque fois que vous voudrez obtenir une zone blanche, il vous faudra la réserver (ne pas la peindre). Commencez à peindre la mer avec un bleu foncé ; comme vous l'avez fait pour la voile dans le ciel, réservez les zones correspondant aux reflets sur l'eau.

3. Cette étape consiste à délimiter totalement la forme du bateau à l'aide des principaux tons de bleu. Prêtez une attention particulière à la façon dont les reflets sur l'eau doivent être réservés. Peignez la partie foncée des reflets à coups de pinceau horizontaux. Dans quelques-unes de ces zones, les coups de pinceau doivent être similaires à des coups de crayon.

Laissez toujours les reflets les plus lumineux en blanc. Vous pourrez ainsi appliquer des tonalités de couleur grise qui vous permettront de nuancer les blancs du modèle.

4. *Assombrissez le fond à l'aide d'un nouveau lavis bleu pour créer une coupure par rapport à la première couche de couleur déjà sèche. Utilisez la couleur que vous avez employée précédemment pour peindre la zone correspondant à la mer, c'est-à-dire un bleu très foncé, pour retoucher cette même zone. Étant donné qu'il s'agit d'une superposition de couleurs, la tonalité obtenue sera plus foncée et vous permettra de représenter les vagues. Attendez que toutes les couleurs soient sèches pour peindre un ton gris sur la voile, sur la coque du bateau et sur la partie blanche du reflet sur l'eau. Peignez ensuite la bouée jaune, ainsi que la ligne rouge de la coque.*

5. *Avant que le ton gris de la voilure soit totalement sec, tracez des lignes qui définiront sa structure à l'aide de la partie postérieure du pinceau ; la couleur s'intègre rapidement à ces lignes et se sature. Avec la couleur grisâtre que vous avez employée pour peindre le bateau, modelez la zone la plus foncée du reflet sur l'eau. Lorsque la couleur de la mer est totalement sèche, peignez les zones les plus foncées à coups de pinceau horizontaux irréguliers.*

6. *Commencez à délimiter les reflets sur l'eau à l'aide d'un cutter. Ne grattez pas excessivement la surface ; il vous suffit de quelques passages de cutter pour provoquer de légères égratignures grâce auxquelles vous obtiendrez des reflets parfaits.*

7. L'exécution de ce tableau se termine avec l'emploi du cutter. Cet exemple vous a permis de combiner diverses techniques relatives à l'humidité de la couleur et à l'obtention de textures à l'aide d'un pinceau presque sec et d'un cutter. Comme vous pouvez le constater, les effets de lumière obtenus par grattage du papier sont impressionnants. Nous vous recommandons néanmoins de ne pas abuser de cette technique car elle risquerait alors de perdre une partie de son intérêt.

Il est très important de travailler sur un papier de grammage élevé car ce type d'effet ne peut pas être obtenu sur du papier fin.

SCHÉMA - RÉSUMÉ

Les premiers glacis délimitent parfaitement la forme du bateau sur le fond.

La voilure fait intervenir la partie postérieure du pinceau.

Le reflet sur l'eau est résolu à l'aide de taches de couleur qui le délimitent sur le blanc du papier.

Zone de texture ouverte à l'aide de traits doux réalisés au cutter.

THÈME

10 Gradation et modelé

ZONES DE LUMIÈRE

Il est important de connaître la provenance de la source principale de lumière pour situer les zones éclairées d'un objet, quel qu'il soit. La lumière frappe l'objet et s'étend sur celui-ci en suivant sa forme ; les ombres et les reflets sont plus ou moins lumineux selon l'intensité de la source.

La gradation consiste en une évaluation correcte des tons de façon à obtenir un échelonnement des gris sur la surface. Une gradation n'est donc qu'un simple ordonnancement des tons susceptibles d'être obtenus à partir d'une couleur. Nous avons étudié les différentes techniques de l'aquarelle dans les thèmes précédents : lorsque vous adoucissez les transitions entre les divers tons composant une échelle de tons jusqu'à ce que la différence entre ceux-ci soit pratiquement indécelable, vous obtenez un effet de modelé. Cette méthode permet de représenter le volume d'un objet en fonction de la quantité de lumière qui l'atteint. Les exercices inclus dans ce thème vous permettront d'appliquer des notions que nous avons déjà expliquées. Il est important que vous prêtiez une attention particulière aux différentes étapes représentées et aux explications correspondantes.

▶ 1. *Comme vous le savez, le dessin de l'objet représente la base fondamentale de tout travail à l'aquarelle. Il convient d'insister sur cette étape de l'exécution avant de commencer à peindre. Le dessin doit toujours être le plus propre et le plus concis possible et les lignes doivent uniquement refléter les formes fondamentales du sujet. Définissez la forme du pot ainsi que celle de l'ombre. Pour que l'effet de la lumière soit plus évident, peignez le fond avec une couleur ocre.*

▶ 2. *Attendez que le fond soit sec. Peignez ensuite la zone d'ombre du pot avec un mélange de bleu et d'ocre. Il est important que vous réalisiez les étapes suivantes immédiatement après avoir appliqué ce mélange, avant que celui-ci ait le temps de sécher.*

3. *Humidifiez le pinceau à l'eau propre, égouttez-le, puis passez-le sur les contours du ton humide en suivant la forme du pot et de façon que le pinceau entraîne la couleur. Répétez cette opération depuis le début en passant votre pinceau sur les bords de la zone dégradée. Vous obtiendrez ainsi un dégradé qui suivra parfaitement la forme du pot. « La zone la plus lumineuse correspond au point de luminosité maximale ».* ▲

▶ 1. *Comme pour l'exercice précédent, le modèle choisi est un pot en céramique, mais dans ce cas, la lumière est frontale et le point le plus lumineux se trouve face à l'aquarelliste. Dessinez soigneusement la forme du pot et effacez les lignes inutiles. Peignez le fond avec un jaune orangé de façon à délimiter la forme du pot.*

DU PLUS CLAIR AU PLUS FONCÉ

Le processus de peinture à l'aquarelle implique quelques règles qu'il est indispensable de respecter : les couleurs claires doivent toujours rester en réserve, les couleurs foncées définissent les points de lumière et les tons clairs ne peuvent pas être appliqués sur les tons foncés. Il est important de tenir compte du fait que le seul blanc disponible en aquarelle est la couleur du papier et que ce sont les couleurs foncées qui permettent de l'isoler et de le mettre en évidence. Nous avons déjà traité le problème du blanc dans le domaine de l'aquarelle ; cet exercice simple vous permettra de réaliser une gradation à partir de la couleur terre de Sienne. La couleur blanche y jouera le rôle principal grâce à la gradation du ton.

▼ 2. *Pour varier le processus par rapport à l'exemple précédent, nous vous proposons d'humidifier le fond blanc du pot avant d'appliquer la couleur plus foncée. Imprégnez votre pinceau de couleur terre de Sienne et appliquez-la de façon symétrique des deux côtés du pot ; la couleur a tendance à s'étendre sur la zone humide. Appliquez un coup de pinceau très fin pour simuler l'ombre sur le bec verseur du pot.*

3. *Rapidement, sans attendre que la couleur sèche, humidifiez votre pinceau dans de l'eau propre et égouttez-le. Appliquez quelques coups de pinceau en suivant la forme du pot. Dégradez la couleur vers le centre et évaluez le ton obtenu. La partie la plus foncée correspond aux contours du pot. Lorsque la couleur est presque sèche, appliquez quelques coups de pinceau sur le côté droit de la zone ombrée du pot pour éliminer une partie de la couleur et obtenir ainsi un effet de volume. Vous devrez avoir recours à cet effet pour toutes les formes sphériques peintes à l'aquarelle.* ▲

FONDU DES COULEURS ET DES TONS

Il est nécessaire de maîtriser le fondu des tons pour simuler correctement le volume d'un modèle. Le degré d'humidité de la couleur sera un facteur décisif pour pouvoir maîtriser le fondu de façon adéquate. Il convient de s'accorder un délai raisonnable pour que le modelé d'une couleur sur une autre puisse être fondu d'un coup de pinceau. Le sujet de cet exercice est une pomme et la technique employée est applicable à tout autre objet et à toute autre couleur.

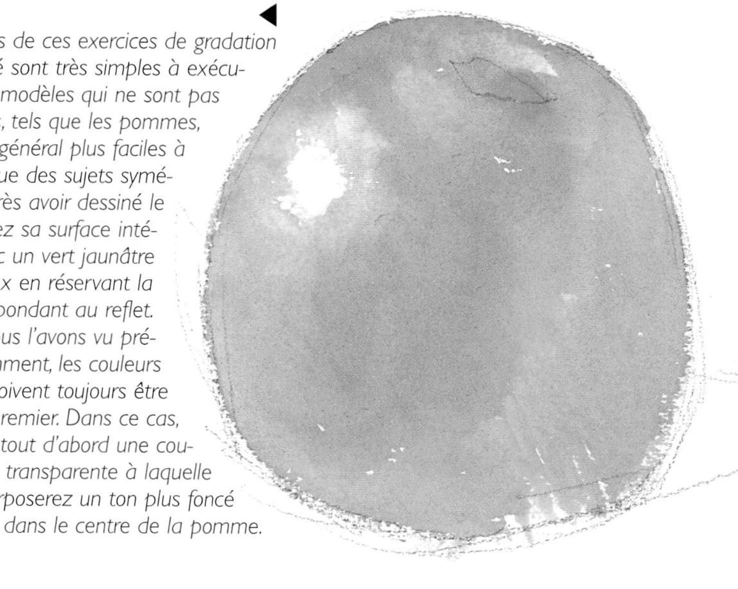

◀ 1. *Les sujets de ces exercices de gradation et de modelé sont très simples à exécuter. Les modèles qui ne sont pas symétriques, tels que les pommes, sont en général plus faciles à peindre que des sujets symétriques. Après avoir dessiné le fruit peignez sa surface intérieure avec un vert jaunâtre très lumineux en réservant la zone correspondant au reflet. Comme nous l'avons vu précédemment, les couleurs claires doivent toujours être peintes en premier. Dans ce cas, appliquez tout d'abord une couleur très transparente à laquelle vous superposerez un ton plus foncé dans le centre de la pomme.*

Bien que vous puissiez utiliser n'importe quel type de pinceau pour ouvrir des reflets, nous vous conseillons d'employer des pinceaux à touffe fournie permettant de tracer des traits précis (pointe effilée). Les meilleurs pinceaux sont ceux en poil de martre.

▼ 2. *Lorsque la première couleur ayant été appliquée est sèche, peignez toute la zone d'ombre avec un vert foncé. Il est important que la couche précédente soit sèche car vous ne cherchez pas à obtenir une gradation par mélange, mais un dégradé de la dernière couleur appliquée. Observez la direction des coups de pinceau sur l'exemple ci-dessus : le premier permet de définir le contour de l'ombre ; la couleur doit ensuite être étirée vers la droite, à coups de pinceau verticaux légèrement inclinés ; la dernière intervention s'effectue à l'aide du pinceau nettoyé et égoutté, sur le côté droit de la pomme, en suivant la forme du fruit.*

◀ 3. *La couleur étant encore fraîche, étirez-la vers la droite de la pomme pour obtenir un dégradé doux. Si nécessaire, ajoutez une petite quantité de vert foncé dans la zone centrale, mais en ayant soin de ne pas empiéter sur la partie où commence le dégradé car cela vous empêcherait de travailler en gradation de couleur. Pour terminer le modelé et avant que la couleur soit totalement sèche, passez un pinceau semi-humide et propre sur le contour de l'ombre pour adoucir la transition.*

▶ **1.** *Après avoir dessiné la forme de cet oignon, appliquez la couleur sur le fond totalement sec afin de pouvoir délimiter le reflet principal. Réservez ce reflet à coups de pinceau longs et isolés. La gradation doit être effectuée lorsque la couleur est encore humide. Appliquez quelques taches de couleur carmin dans la zone inférieure, sur le premier lavis très lumineux ; la couleur se fond rapidement au niveau des contours, mais apporte déjà un certain volume.*

VOLUME ET FINITIONS

Sur la page précédente, nous avons vu comment obtenir un effet de volume grâce au modelé de la gradation. L'objet représenté requiert parfois des techniques de finition plus élaborées qu'une simple gradation. Le cas échéant, il est nécessaire de combiner les techniques que nous avons étudiées jusqu'à présent, c'est-à-dire la gradation, la réserve de blancs et la création de texture sur fond sec.

▶ **2.** *Peignez tout d'abord la zone droite de l'oignon, en réservant le reflet. Le fond doit être humide, mais la couleur terre de Sienne violacée appliquée ne doit pas être trop liquide car elle perdrait de la densité. Les couleurs se fondent au niveau de leurs contours et se gonflent dans les zones les plus proches des parties humides.*

▶ **3.** *Nous avons jusqu'à présent travaillé sur fond humide et la gradation ne présentait pas de grandes différences par rapport aux autres travaux réalisés dans ce thème. Pour peindre la texture, il est par contre nécessaire que le fond soit sec. Mélangez de la terre de Sienne avec une petite quantité de carmin et de bleu pour obtenir un ton violacé, puis appliquez ce mélange, à coups de pinceau longs et isolés, sur la zone du reflet pour commencer à définir la texture de la peau. Réalisez ensuite un fondu dans la zone d'ombre, puis, comme vous l'avez fait lors des exercices précédents, ouvrez le clair du contour de la zone d'ombre à l'aide d'un pinceau propre et légèrement humide.*

pas à pas

Nature morte composée de fruits

La couleur, les reflets, le point de luminosité maximale ou la texture peuvent varier, mais en définitive, le processus de gradation et de modelé des formes est toujours identique. L'obtention de résultats satisfaisants est une question de travail et surtout de pratique. Vous allez, ci-après, avoir l'occasion d'appliquer les notions étudiées dans cette leçon. Il est important que vous respectiez les temps de séchage indiqués pour chaque étape ; vous devrez parfois travailler sur fond humide, parfois attendre le séchage complet de la couche précédente, mais dans tous les cas, nous vous conseillons de respecter les indications fournies. Nous avons choisi un modèle présentant différentes couleurs et textures car cela vous permettra d'employer diverses techniques de gradation des tons.

MATÉRIEL NÉCESSAIRE

Papier à aquarelle (1), aquarelles et palette (2), pinceaux à aquarelle (3), récipient rempli d'eau (4) et support (5).

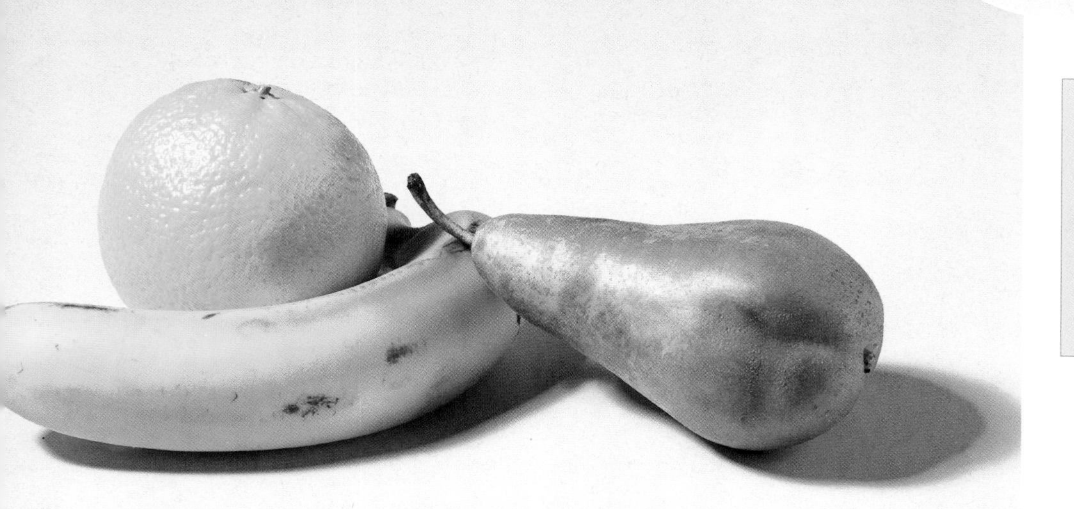

1. *Tracez tout d'abord, de façon concise, les formes des fruits que vous devez représenter ; comme vous pouvez le constater, l'exécution de ce dessin n'est pas très compliquée, mais le résultat doit être très propre et exempt de formes imprécises. Ne commencez pas à peindre avant d'avoir complètement terminé le dessin.*

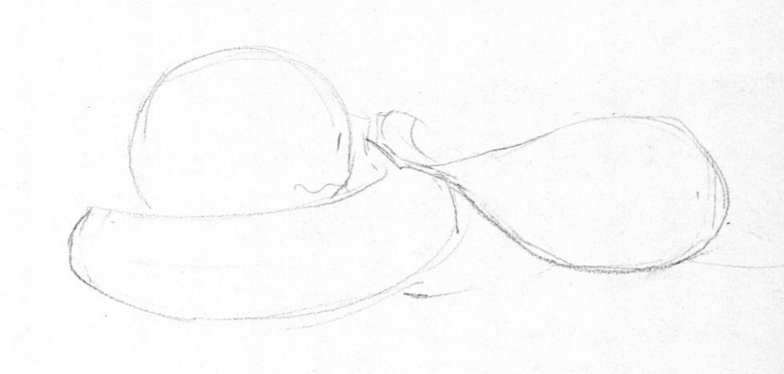

2. Comme vous l'avez fait lors des premiers exercices de ce thème, peignez la totalité du fond pour isoler les principaux éléments du tableau et délimiter la forme des fruits ; le blanc du papier doit être parfaitement isolé. La couleur à utiliser pour peindre le fond est un ton éteint, que vous obtiendrez en mélangeant du vert, de la terre de Sienne et de l'ocre. Pour augmenter la luminosité du blanc, le ton qui entoure les fruits doit être plus foncé que le reste du fond. Lorsque celui-ci est sec, commencez à peindre l'orange. Respectez le point de lumière : le ton de la couleur doit être plus foncé dans la zone d'ombre.

Pour obtenir un modelé correct des tons et des couleurs, celui-ci doit être réalisé avant que les couches précédentes soient totalement sèches.

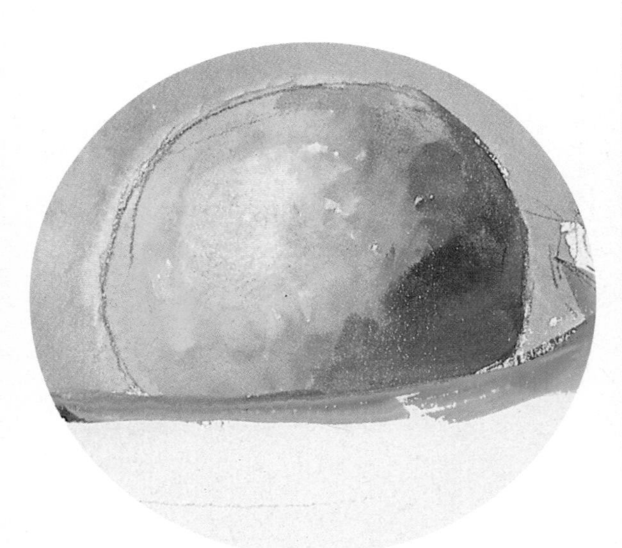

3. La gradation de l'orange s'obtient à partir d'un échelonnement de tons orangés, en conservant toujours le point de lumière en tant que référence du volume. Pour réaliser la gradation de l'ombre, mélangez du vert lumineux, de l'orange et une petite quantité de terre de Sienne sur votre palette, puis appliquez ce mélange sur le fruit, en respectant l'arrondi de sa forme. Appliquez ensuite une touche de couleur rougeâtre dans la zone de transition entre la partie éclairée et l'ombre. Lorsque la couleur de l'orange est sèche, commencez à peindre la banane avec un vert lumineux ; votre coup de pinceau doit être long et respecter la forme du fruit.

4. Prêtez une attention particulière à la gradation des tons sur la banane. Commencez à appliquer le jaune d'or avant que la couleur verte soit totalement sèche. Entraîné par le pinceau, qui doit suivre la forme du fruit, le vert se fond avec le jaune d'or au niveau de la transition entre les deux couleurs. Effectuez ensuite la gradation de la partie inférieure de la banane avec un mélange constitué d'orange et d'une petite quantité de terre de Sienne, puis passez un pinceau propre et humide sur la zone la plus lumineuse du fruit pour enlever une partie de la couleur.

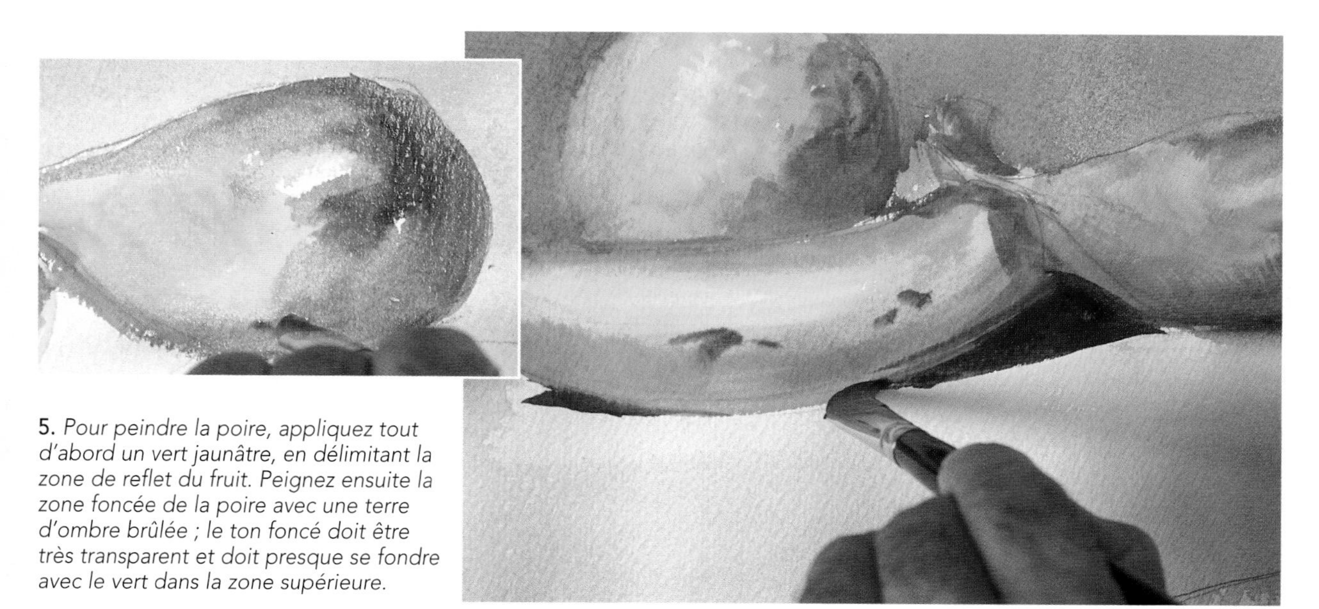

5. *Pour peindre la poire, appliquez tout d'abord un vert jaunâtre, en délimitant la zone de reflet du fruit. Peignez ensuite la zone foncée de la poire avec une terre d'ombre brûlée ; le ton foncé doit être très transparent et doit presque se fondre avec le vert dans la zone supérieure.*

6. *Imprégnez votre pinceau d'une petite quantité de vert foncé peu dilué pour assombrir légèrement la poire. Entraîné par le pinceau, qui doit suivre la forme du fruit, le vert se fond avec la couleur terre d'ombre. Passez ensuite un pinceau propre et humide sur la zone inférieure du fruit pour ouvrir son reflet caractéristique et augmenter l'effet du modelé. Lorsque les couleurs sont sèches, appliquez un dernier glacis transparent de couleur terre d'ombre verdâtre à l'endroit du reflet, puis peignez l'ombre du fruit sur la nappe avec une terre d'ombre brûlée très foncée.*

La couleur du papier est à l'origine de la luminosité du tableau et les tons trop foncés manquent de transparence et annulent le reflet du papier. Ils doivent donc uniquement être utilisés pour peindre la zone d'ombre la plus foncée.

7. *Le modelé des trois fruits est terminé, mais les contrastes ne sont pas assez accentués. Il est nécessaire d'augmenter le contraste des ombres pour que les zones lumineuses gagnent en présence et que le volume soit plus accusé. Commencez les finitions de l'orange à l'aide d'un orange de cadmium très dense que vous appliquerez à petits coups de pinceau pour accentuer la texture. Peignez ensuite la partie supérieure de la zone d'ombre avec un carmin violacé et au fur et à mesure que vous descendez sur le fruit avec une terre d'ombre brûlée.*

8. *Pour terminer l'orange, fondez, à coups de pinceau répétés, les couleurs foncées que vous venez d'appliquer sur le fond. Appliquez des touches de terre d'ombre brûlée sur l'ombre de la poire et donnez de petits coups de pinceau délicats au niveau de la transition avec le vert jusqu'à ce que les couleurs s'unissent. Sur le fond sec et d'un long coup de pinceau humide, ouvrez un léger clair dans la partie droite de l'ombre de la poire. Pour terminer, assombrissez la zone plane caractéristique de la banane en humidifiant légèrement la partie inférieure pour que la couleur terre d'ombre s'étende doucement. Ainsi se termine l'exécution de cette aquarelle, un exercice de gradation dans lequel les ombres et le blanc du papier ont joué le rôle principal.*

SCHÉMA - RÉSUMÉ

Le fond a été peint en premier lieu de façon à isoler la forme et le blanc des fruits.

Le reflet de l'orange doit être réservé dès le début.

La couleur verte de la banane se fond délicatement avec le ton jaunâtre.

L'ouverture du reflet sur la banane s'effectue à l'aide d'un pinceau propre et humide.

Les contrastes sur l'orange augmentent l'effet de volume.

La couleur verte de la poire s'obtient en deux étapes : la première permet de s'approcher du ton voulu et la seconde consiste à appliquer un vert plus foncé pour entraîner et modeler le ton de l'ombre.

Avant de peindre le plan le plus foncé de **la banane**, il est nécessaire d'attendre que la couche précédente sèche et d'humidifier préalablement la zone concernée pour que sa couleur se fonde avec la terre d'ombre.

THÈME

11 Nature morte

PRÉPARATION DU MODÈLE

Ce thème va nous permettre de développer des concepts importants relatifs à la technique et à la pratique de la nature morte. Pour représenter convenablement ce type de sujet, il est nécessaire de disposer les éléments qui le composent de la façon la plus adéquate possible. La mise en place d'une nature morte fait partie de sa composition.

La nature morte est traditionnellement considérée comme l'un des sujets les plus passionnants lorsque l'on débute dans le domaine de l'aquarelle. Néanmoins, il est important que le peintre amateur expérimente tous les thèmes, de façon à développer les capacités créatives qui lui conviennent le mieux. Le paysage permet par exemple d'aborder des concepts étrangers aux questions propres à la nature morte ; en effet, les proportions et la précision de la forme initiale ne sont pas nécessairement primordiales dans le cas du paysage, alors qu'au contraire, elles sont essentielles pour les natures mortes.

▶ *La nature morte est l'un des thèmes auxquels la majorité des peintres ont le plus souvent recours. Pour exécuter une nature morte, il convient de préparer le modèle avec soin et de jouer avec les diverses techniques de composition.*

Cette phase préalable peut être très simple ou très compliquée, au choix de l'artiste. Nous vous recommandons de prendre votre temps pour la préparation. Cela est essentiel sous peine d'obtenir une nature morte quelconque, et non pas, comme vous le souhaitez certainement, une nature morte qui attire l'attention et dont les formes et les couleurs sont attractives.

▲

Dans le cas d'un bouquet de fleurs, les accessoires susceptibles de vous être utiles pour arranger la composition sont nombreux : des ciseaux, un vaporisateur, du fil de fer, du liège synthétique sur lequel vous pourrez clouer le bouquet, etc. Le vase dans lequel vous mettez les fleurs est également très important car le cadre dépend en grande partie de l'ensemble des objets qui forment la composition. Le modèle doit être placé de façon que vous disposiez du sujet tel que vous devrez le représenter avant de commencer à peindre. Si l'une des fleurs du bouquet tombe légèrement, il vous suffit d'enrouler un fil de fer autour de la tige pour qu'elle retrouve sa rigidité et prenne la forme appropriée.

▶ *Un entassement excessif des objets a pour résultat une composition peu agréable. Le manque d'espace comprime les objets et l'ensemble transmet une sensation de lourdeur à la personne qui le regarde. L'espace qui entoure les éléments fait également partie du tableau. Un entassement exagéré rompt l'harmonie entre les objets.*

LE MODÈLE DE LA NATURE MORTE

Il est nécessaire de tenir compte d'un certain nombre de points importants tels que la composition du modèle utilisé en tant que référence lors de la préparation de la nature morte. La façon dont les objets sont regroupés est un élément fondamental que vous devez prendre en considération lorsque l'ensemble comprend plus de deux objets. Vous trouverez, sur cette page, plusieurs exemples de notions pratiques relatives à l'emplacement des différents éléments, ainsi qu'aux relations qui s'établissent entre eux en fonction de la distance qui les sépare.

▶ *Lorsque la distance qui sépare les objets est excessive, cela rompt leur relation à l'échelle de la composition. Cette distance marque un rythme visuel entre les divers éléments et permet de définir les lignes essentielles de la composition. Il convient donc d'éviter que les objets qui constituent une nature morte soient trop dispersés car cela nuit à la ligne de composition du tableau.*

▶ *Il n'est pas difficile d'organiser les éléments d'une nature morte, mais cette opération requiert de l'attention et un certain sens de la composition. Après avoir placé les objets à l'endroit où vous allez composer la nature morte, éloignez-vous pour en avoi une vue d'ensemble. Faites de même chaque fois que vous appo tez une modification au modèle pour juger du résultat depuis l'endroit où vous allez vous trouver pour peindre. L'organisation correcte d'une nature morte exige une composition harmonieuse et équilibrée, sans entassement excessif et sans éloignement exagéré. Vous trouverez, ci-contre, un exemple de composition idoine. Les objets ne sont ni trop rapprochés ni trop éloignés.*

DIFFÉRENTS TYPES DE NATURES MORTES

Il vous suffit de regarder autour de vous pour vous rendre compte que la plupart des objets qui s'y trouvent peuvent constituer de bons sujets de nature morte. Nous avons jusqu'à présent traité de nombreuses natures mortes composées d'éléments classiques tels que des fruits, des vases, etc., mais ces choix ne sont pas limitatifs. Vous trouverez toujours un sujet digne d'être peint, y compris parmi les objets les plus quotidiens.

▼ *Avant de commencer à peindre une nature morte, quelle qu'elle soit, il est indispensable que l'artiste prépare le modèle qu'il s'apprête à représenter. Vous devez donc, en premier lieu, effectuer la mise en place des éléments qui vont intervenir dans la nature morte, qu'il s'agisse de fleurs, de fruits, de poteries ou d'une combinaison de divers objets appropriés à la composition du tableau. Posez les éléments choisis sur une table et commencez à composer la nature morte, qui peut tout aussi bien être formée de fournitures de bureau, comme le montre l'exemple ci-dessus.*

Une boutique de fleuriste est un endroit idéal pour vous exercer. Vous pouvez également opter pour un jardin public, où vous découvrirez certainement un massif de fleurs intéressant à peindre, ou tout simplement pour une photographie comme celle de l'exemple ci-dessous, qui vous permettra de peindre chez vous ou dans votre atelier en toute tranquillité.

▲

SCHÉMATISATION ET ÉBAUCHE À L'AQUARELLE

Avant de commencer à peindre, il est nécessaire de tenir compte d'un certain nombre d'aspects relatifs au modèle tels que la disposition des différents éléments de la nature morte. À partir du moment où la composition vous semble appropriée, vous pouvez vous mettre au travail. Cet exercice permettra au peintre amateur d'approcher de façon encore plus exacte le thème de la nature morte. Par l'intermédiaire de cet exemple floral, nous tenterons de vous convaincre que le moindre détail peut exiger une préparation préalable. Lorsque vous aurez terminé cet exercice, nous vous proposerons de monter une nature morte florale, d'étudier les éléments qui la composent et de l'exécuter suivant les indications fournies.

▶ *Étape nécessaire quel que soit le modèle, le dessin doit être basé sur une structure simple. Il s'agit donc de dessiner uniquement les formes générales qui s'affineront et prendront corps progressivement, au fur et à mesure que les traits trouveront leur emplacement précis sur le papier. Il est beaucoup plus simple d'exécuter un tableau à partir d'une bonne structure que de façon directe et sans tracé de référence. Vous rencontrerez beaucoup moins de difficultés au moment d'appliquer la couleur si vous disposez d'un schéma préalable simple. Vous remarquerez sur cet exemple que les blancs des fleurs sont parfaitement délimités par les tons plus foncés.*

▶ *Le processus de peinture d'une nature morte doit toujours évoluer de l'ensemble vers les détails et des tons clairs vers les tons foncés. Les premières applications de couleur permettent d'ébaucher les formes de taille réduite en les délimitant sans entrer dans les détails. Lorsque vous avez terminé de schématiser l'ensemble, corrigez les formes et définissez les plus petites à l'aide de taches de couleur plus précises. Respectez le temps de séchage des différentes couches pour éviter qu'elles se mélangent.*

▶ *Appliquez les couleurs de façon progressive et toujours de la plus claire à la plus foncée. Le fait que les tons les plus lumineux sont encadrés par les plus foncés vous permet de concrétiser les formes. Peignez les petits détails et appliquez les glacis qui nuanceront les blancs.*

ÉCLAIRAGE

▼

L'éclairage est également un facteur important de la composition d'une nature morte. Observez les exemples ci-dessus : vous remarquerez qu'une nature morte varie totalement en fonction de la lumière. Les deux éclairages sont corrects, mais les résultats obtenus sont complètement différents.

pas à pas

Nature morte

La nature morte que nous avons choisie comme exemple possède une grande variété de couleurs chaudes. Quelques-uns des éléments qui la composent tels que le potiron et certaines prunes présentent des zones froides qui compensent l'excès de tons chauds de l'ensemble. La préparation du modèle a été effectuée avec soin, en cherchant à créer une harmonie entre les différents éléments et en les plaçant de façon qu'ils ne soient ni trop rapprochés ni trop éloignés les uns des autres. L'équilibre de la composition est l'un des principaux facteurs de réussite d'une nature morte ; il doit être pris en compte dès la phase de choix du modèle.

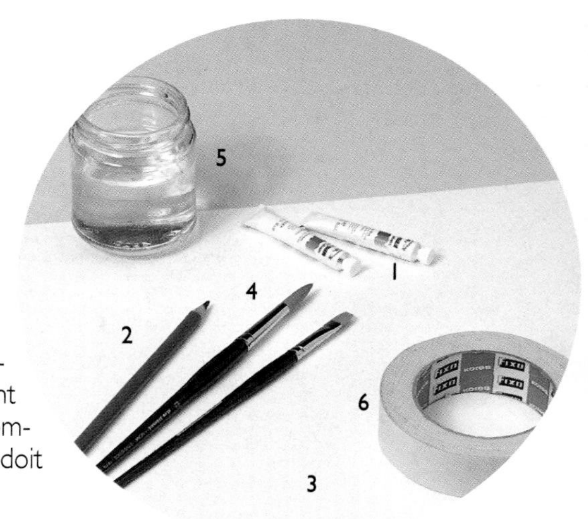

MATÉRIEL NÉCESSAIRE

Couleurs en tube (1), crayon en graphite (2), papier à grain moyen (3), pinceaux à aquarelle (4), récipient rempli d'eau (5) et ruban adhésif.

1. *Commencez à dessiner le modèle de façon grossière, sans effacer les lignes doubles et en essayant de respecter les proportions entre les éléments. Dessinez également le contour des ombres projetées ; situez-les correctement pour éviter toute erreur au moment de peindre. Appliquez tout d'abord un lavis jaune étendu. Ne peignez pas la totalité du fond, réservez les zones susceptibles de contenir des reflets plus lumineux. La couleur ne doit pas présenter la même densité dans toutes les zones ; rehaussez uniquement le ton de la partie inférieure, sans toucher aux autres zones qui doivent rester beaucoup plus lumineuses. Peignez l'intérieur du potiron avec un ton orangé assez pur. Assombrissez légèrement ce ton dans la zone située sur la gauche en y ajoutant une petite quantité de bleu.*

2. *La gamme chromatique utilisée est une gamme chaude, mais il est nécessaire d'employer des bleus et des verts pour refroidir l'ensemble et assombrir les ombres ; c'est la méthode employée pour les zones foncées de l'extérieur du potiron. Commencez à peindre la bouteille en y appliquant un rouge foncé auquel vous aurez ajouté une petite quantité de terre de Sienne ; ne peignez pas les parties correspondant aux reflets. Cette première couleur servira de base à d'autres couleurs plus foncées.*

3. *Ajoutez de la terre d'ombre brûlée au rouge de la palette et utilisez ce mélange pour peindre les parties foncées de la bouteille. La première couche respire maintenant en tant que reflet sous cette nouvelle couleur foncée. Même si le traitement des reflets est assumé par cette intervention, il est indispensable de réserver une nouvelle zone pour laisser respirer le rouge du fond. Peignez l'intérieur du potiron à l'aide d'un pinceau chargé de tons rougeâtres et en respectant la forme arrondie du fruit. Appliquez une tache de couleur rougeâtre intense et nuancez la partie foncée avec de la terre d'ombre brûlée. Appliquez un vert clair sur l'extérieur du potiron. Les couleurs orangées doivent se fondre avec le vert. Peignez quelques prunes avec un carmin rougeâtre intense et les autres avec un bleu foncé très violacé.*

4. *Peignez le reste des prunes avec divers tons chauds à base de rouge, de carmin et de jaune ; ajoutez une touche de terre d'ombre brûlée à ce mélange pour peindre les ombres, en réservant les points de plus grande luminosité. Peignez ensuite les fruits les plus foncés en ajoutant une petite quantité de carmin foncé au mélange contenant le bleu de cobalt.*

5. *Appliquez des touches isolées de tons rouges et marron dans le centre du potiron. La tonalité des ombres de chacun des éléments de la nature morte varie en fonction de la couleur de l'objet qui les projette ; elle est violette pour les prunes et légèrement grisée pour le potiron.*

6. *Finissez de peindre les prunes en prenant soin de respecter l'emplacement des reflets et des ombres. Affinez les tonalités des fruits à l'aide de diverses nuances bleutées qui se transformeront en tons violacés au contact avec les couleurs chaudes. Peignez également les ombres projetées, dont les tons varient en fonction des couleurs qui les entourent ; l'ombre la plus proche du potiron doit être plus foncée que les autres. Contrastez fortement le reflet de la bouteille avec un mélange violacé très foncé, tout en respectant les parties les plus lumineuses du verre.*

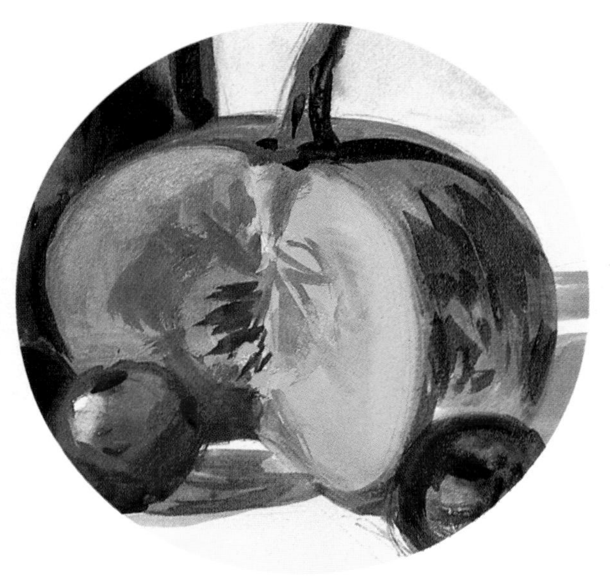

7. *Peignez l'extérieur du potiron avec un vert auquel vous aurez ajouté une petite quantité de carmin ; vous obtiendrez ainsi un ton olivâtre qui contrastera avec le vert lumineux et avec la zone inférieure de couleur orangée.*

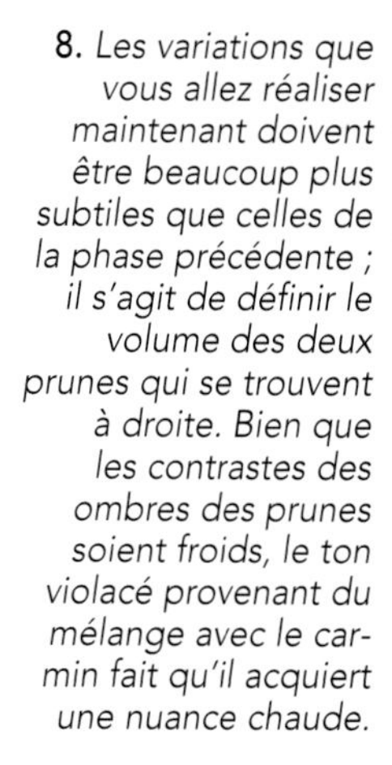

8. *Les variations que vous allez réaliser maintenant doivent être beaucoup plus subtiles que celles de la phase précédente ; il s'agit de définir le volume des deux prunes qui se trouvent à droite. Bien que les contrastes des ombres des prunes soient froids, le ton violacé provenant du mélange avec le carmin fait qu'il acquiert une nuance chaude.*

9. *Pour terminer, affinez l'intérieur du potiron à l'aide de tons chauds qui contrasteront les différentes textures. Les gammes chromatiques utilisées harmonisent les couleurs de la composition. Ainsi se termine cet exercice qui vous a permis de vous exercer à la composition à base de couleurs chaudes, mais sans exclure l'emploi des verts, ni celui des bleus.*

SCHÉMA - RÉSUMÉ

Le dessin initial permet d'organiser et de composer schématiquement les éléments de la nature morte.

Les tons foncés des prunes s'obtiennent par superposition de bleus et de carmin.

Les reflets doivent être réservés dès le début.

L'intérieur du potiron présente deux tonalités, l'une plus foncée que l'autre.

La projection des ombres fait partie de la composition de cette nature morte. Chaque ombre possède ses propres nuances.

THÈME

12 Le corps humain

LE DESSIN EN TANT QUE BASE POUR LA DÉFINITION DES PROPORTIONS

Comme nous l'avons vu jusqu'à présent, tous les éléments de la nature peuvent être synthétisés sur la base d'autres éléments beaucoup plus simples. Observez par exemple la forme d'une main. Bien qu'il s'agisse de l'une des parties du corps les plus compliquées à peindre, il suffit d'un bon schéma pour définir ses proportions et ses formes fondamentales.

La représentation du corps humain est l'une des tâches les plus ardues auxquelles l'aquarelliste est susceptible d'être confronté, non seulement en raison du thème lui-même, mais aussi de l'éventail de solutions proposées par la technique de l'aquarelle. En effet, si elle comporte parfois certaines limites en ce qui concerne d'autres thèmes, cela n'est pas le cas lorsqu'il s'agit de traiter la représentation du corps humain. Ce thème requiert une grande rigueur dans toutes ses phases d'exécution, en commençant bien entendu par celle du dessin initial. Bien que ce livre soit consacré à l'aquarelle, n'oubliez pas que le dessin constitue la base de la couleur et qu'il doit donc toujours précéder la peinture.

▶ *Le schéma initial permet de définir les formes les plus élémentaires et les plus simples avant d'aborder la couleur. Ces formes doivent être résumées à l'aide de traits simples qui vous permettront à la fois d'étudier les proportions du sujet et de simplifier sa représentation. Pour schématiser cette main, observez les espaces intérieurs, l'inclinaison de chacune des lignes et la distance qui les sépare. Le fait de commencer par un schéma très simple présente l'avantage de faciliter les corrections ultérieures des formes.*

◀ *Après avoir exécuté le schéma principal et vérifié sa validité, finissez le dessin de la façon la plus approximative possible, mais faites en sorte qu'aucune ligne ne puisse donner lieu à une erreur de tracé lorsque vous passerez à la peinture. Même s'il est simple, le dessin doit être terminé avant que vous commenciez à peindre. Dans ce cas précis, terminez la main d'une manière très élémentaire mais efficace ; il vous suffit de peindre la couleur foncée qui l'entoure et d'appliquer le ton moyen qui permet de faire ressortir les articulations. Il n'est pas nécessaire que vous peigniez les doigts en entier, vous pouvez vous contenter de les suggérer en ne peignant que les zones les plus foncées.*

REPRÉSENTATION SCHÉMATIQUE

Comme nous l'avons vu dans le point précédent, le sujet doit être schématisé à l'aide de formes concises. Néanmoins, et outre les possibilités offertes par ces formes géométriques, cette représentation doit être exécutée à partir d'une structure interne très étudiée. Dans les grandes lignes, elle est basée sur des axes dont la position a une influence décisive sur la pose ; ces axes correspondent aux lignes des épaules, de la colonne vertébrale et des hanches.

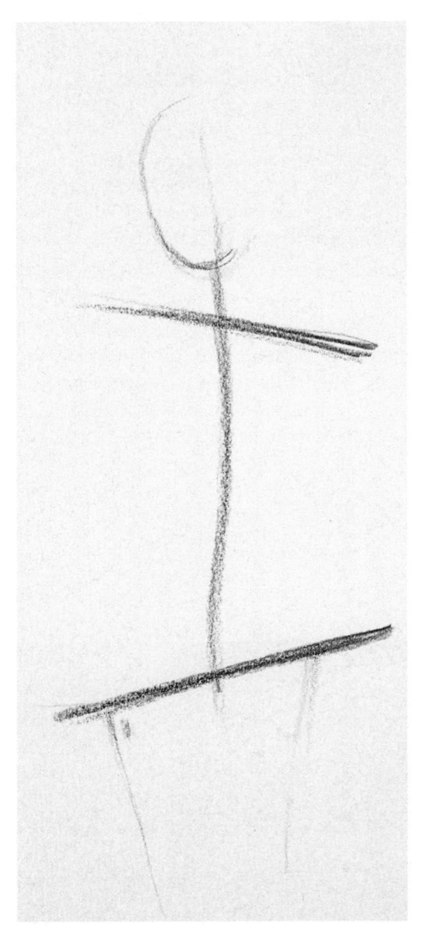

▼ **1.** *La ligne supérieure permet de définir la position des épaules ; une ligne verticale située dans la partie centrale représente la colonne vertébrale ; tout comme celle des épaules, la ligne des hanches doit présenter une inclinaison correspondant à une pose naturelle des jambes. À partir de la ligne des hanches, schématisez les proportions des jambes au moyen de lignes droites, en définissant les points de flexion des articulations.*

▼ **2.** *Sur la base du schéma précédent, dessinez la silhouette du modèle. Comme vous pouvez le constater, cette phase d'exécution requiert une certaine expérience, mais ce système de schématisation à partir de différents axes permet de respecter les proportions et d'obtenir un dessin sûr et de bonne facture.*

▼ *Nous vous proposons un autre exercice de schématisation du corps humain : tentez de définir les lignes internes de ce modèle. Déterminez tout d'abord les axes des épaules et des hanches, puis celui de la colonne vertébrale, et enfin le schéma des bras et des jambes.*

VOLUME

Vous savez maintenant déterminer les axes de construction du corps humain et représenter une silhouette, il vous faut encore apprendre comment la couleur et divers effets de lumière sur le papier permettent de définir le volume du modèle à partir du dessin préalable. Comme les autres thèmes susceptibles d'être peints à l'aquarelle, le corps humain reçoit une certaine quantité de lumière ; certaines zones sont donc lumineuses, alors que d'autres, celles qui se trouvent dans l'ombre, sont plus foncées. Les zones lumineuses devront toujours être réservées à l'aide des tonalités foncées. C'est cet effet qui produira le volume. Les parties les plus exposées à la lumière devront être délimitées par les zones d'ombre qui respecteront toujours les formes anatomiques. Nous vous proposons ici deux exercices.

◀ *1. Après avoir schématisé la silhouette et dépuré le dessin, commencez à définir le volume en situant les zones de lumière et d'ombre. Effectuez cette opération avec beaucoup de soin : le volume doit être suggéré à partir des points de luminosité maximale. Vous remarquerez que, sur cet exemple, les parties les plus lumineuses sont parfaitement délimitées par les zones plus foncées. Les zones d'ombre doivent également présenter des tonalités moyennes que vous obtiendrez en absorbant une partie de la couleur à l'aide d'un pinceau propre et sec si celle-ci est encore fraîche ou en passant un pinceau propre et humide sur cette zone si la couleur est déjà sèche.*

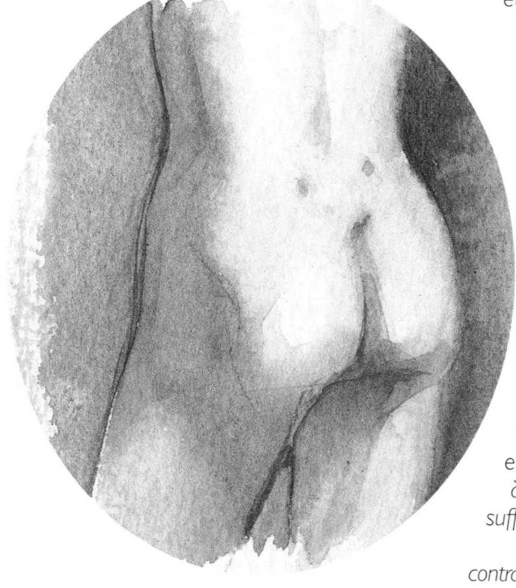

▼ *Le dessin doit toujours être construit le plus correctement possible. À partir des zones sombres, définissez les tons foncés les plus denses qui vous permettront de délimiter les zones lumineuses. Pour terminer, assombrissez le fond et fusionnez les zones d'ombre dans les parties les plus éclairées.*

◀ *2. Terminez la représentation du volume à l'aide de tonalités moyennes : déplacez une partie des tons les plus foncés vers la zone de lumière, puis fondez ces tons sur les zones les plus lumineuses en y passant votre pinceau à plusieurs reprises. Il vous suffit de peindre un fond très foncé pour rehausser le contraste du corps ; les tons foncés gagneront en volume et les tons plus clairs en luminosité.*

RESSOURCES DE SYNTHÈSE

La synthèse doit être la principale ressource de l'aquarelliste. On entend par synthèse le processus grâce auquel la représentation des sujets se réduit à ses éléments essentiels. En général, l'aquarelliste débutant a tendance à surcharger ses tableaux de détails. Avec l'expérience, le peintre apprend à se passer des éléments inutiles. Nous allons étudier ici le processus de synthèse dans le traitement du corps humain. Nous verrons comment il est possible d'expliquer un tableau de façon beaucoup plus claire avec une grande économie de moyens. Pour bien peindre, il est essentiel de différencier ce qui est important de ce qui est superflu.

▶ *Schématisez tout d'abord les lignes générales à l'intérieur d'une forme triangulaire, sans tenir compte d'aucun autre détail ; tracez les lignes qui définissent les axes des épaules et de la colonne vertébrale ; dessinez la forme du corps en vous contentant de représenter les éléments essentiels. Comme vous pouvez le constater, il n'est pas nécessaire de peindre les doigts et il suffit d'esquisser très vaguement les jambes ; la silhouette est néanmoins parfaitement définie. À l'aide de quelques taches de couleur, définissez ensuite, très rapidement, les formes qui délimiteront les zones lumineuses.*

▶ 1. *Les ombres de cette ébauche délimitent parfaitement les principaux points de lumière et permettent de modeler la forme du sujet. Elles permettent d'intégrer progressivement l'ombre aux zones éclairées et d'ouvrir de petites zones de lumière au niveau du volume de la poitrine. Pour obtenir un contraste maximal, assombrissez le côté qui est en contact avec la zone éclairée.*

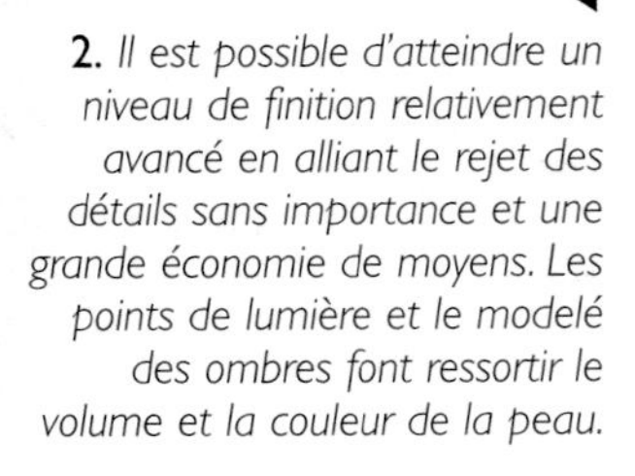

◀ 2. *Il est possible d'atteindre un niveau de finition relativement avancé en alliant le rejet des détails sans importance et une grande économie de moyens. Les points de lumière et le modelé des ombres font ressortir le volume et la couleur de la peau.*

pas à pas

Dos de femme

Cet exercice ne prétend pas être un travail très complexe. Il s'avérera au contraire très simple si vous étudiez la définition des volumes principaux à partir de leurs ombres.

Pour faciliter la schématisation des principaux plans, nous avons superposé un graphique au modèle. Les lignes a et b correspondent respectivement aux axes des épaules et des hanches. Ces deux lignes donnent naissance à trois figures géométriques : d'un côté, un trapèze, et de l'autre, un triangle et un carré.

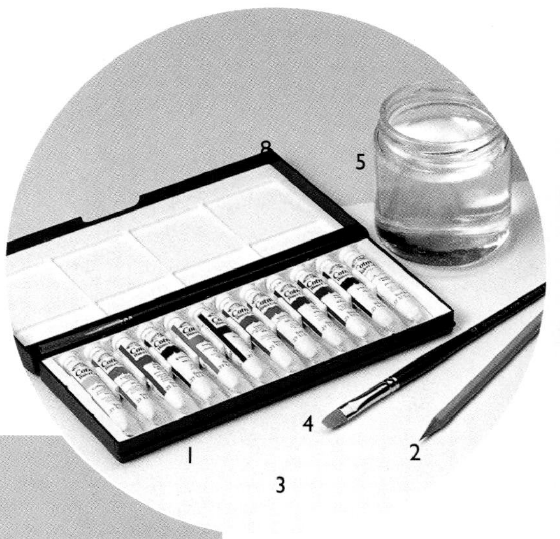

a

b

MATÉRIEL NÉCESSAIRE

Couleurs en tube (1), crayon en graphite (2), papier à aquarelle (3), pinceau à aquarelle (4) et récipient rempli d'eau (5).

1. *Esquissez la silhouette à partir des formes géométriques simples dessinées sur le modèle. La forme du dos est comprise dans un trapèze, la zone pelvienne, de la taille aux hanches, dans un carré, et les jambes et les pieds, dans un triangle rectangle. Ces formes vous permettront de définir très aisément l'anatomie de base du modèle. Résolvez le dessin préalable avant de commencer à peindre. Cela étant fait, commencez à peindre les premières ombres avec de la terre de Sienne brûlée.*

2. *À l'aide d'un pinceau humide et propre, étalez la couleur que vous avez appliquée sur le dos de façon à obtenir un dégradé doux, tout en réservant la frange constituée par la colonne vertébrale. Faites de même pour l'ombre des jambes, qui délimite la forme arrondie du fessier et l'ombre des hanches.*

Il est parfois difficile d'imaginer le résultat que vous obtiendrez en superposant plusieurs couleurs, surtout lorsqu'il s'agit de glacis. Il convient donc que vous disposiez toujours de papiers de la même qualité que celui sur lequel vous effectuez le travail définitif pour y réaliser des essais de fusion de tons et être en mesure de vérifier le résultat obtenu.

3. *Pour obtenir la couleur de la chair, utilisez un glacis transparent orangé. Le papier étant encore humide, appliquez une touche de terre de Sienne sur le côté ; celle-ci se fondra facilement avec l'orangé et suggérera ainsi le volume. Ajoutez un ton violacé très ténu dans la zone de l'aisselle. Lorsque la couleur est presque sèche, modelez la forme du fessier : atténuez le ton terre d'ombre brûlée en y passant le pinceau à plusieurs reprises. Appliquez un glacis jaune verdâtre très transparent qui se mélangera aux couches de couleur précédentes.*

4. *Augmentez le contraste de l'aisselle et peignez les cheveux avec un mélange de terre d'ombre brûlée et de bleu de cobalt. L'éclairage de la zone qui entoure la silhouette permet d'obtenir la couleur de la peau. Préparez un lavis transparent de terre d'ombre brûlée et de bleu, et appliquez-le sur le fond du tableau, de façon légèrement irrégulière. Le bleu doit être plus présent autour des hanches.*

5. *La synthèse doit être la principale préoccupation de l'aquarelliste lors de la superposition des tons et des plans ; une tache de couleur peut en dire beaucoup lorsqu'elle est bien située, sans pour cela détailler aucun élément inutile. Ainsi, dans le cas de la main, il n'est pas nécessaire de peindre les doigts ; vous pouvez résoudre cette partie du corps à l'aide des ombres qui entourent la zone éclairée. Contentez-vous de contraster le dos de la main avec une terre d'ombre brûlée légèrement bleutée ; les cheveux et l'ombre du visage définiront les doigts.*

À la fin de la session, vous pouvez appliquer un glacis sur l'ensemble du tableau. Utilisez pour ce faire l'eau que vous avez employée pour rincer les pinceaux. Cette technique est très courante car la couleur de l'eau possède un ton éteint d'une grande transparence. N'appliquez ce glacis que lorsque les couches précédentes sont totalement sèches et n'insistez pas trop sous risque de les ramollir.

6. *Pour peindre les pieds, augmentez le contraste de l'ombre des jambes et définissez les zones les plus lumineuses, c'est-à-dire celles qui correspondent au mollet droit et aux plantes des pieds. Peignez celles-ci avec un lavis très clair de terre d'ombre brûlée et une pointe de bleu. Les parties les plus lumineuses doivent rester en blanc. C'est la meilleure façon de faire ressortir les reflets sur la peau.*

7. *Augmentez les contrastes sur les plantes des pieds à l'aide de petits coups de pinceau qui vous permettront de délimiter les zones éclairées des doigts. La couche précédente doit être sèche pour éviter que les couleurs se fondent. Humidifiez le pinceau et égouttez-le, puis frottez-le doucement sur la zone d'ombre des jambes pour leur donner de la profondeur. Contrastez ensuite l'intérieur de la jambe droite et définissez le fessier. Faites attention lorsque vous modelez le fessier : vos coups de pinceau doivent être arrondis et fondre les couleurs sans détruire l'ombre. Superposez délicatement les tons.*

SCHÉMA - RÉSUMÉ

Il n'est pas nécessaire de dessiner **les doigts** de la main ; les cheveux et la zone d'ombre du visage définissent leurs contours.

Le dégradé du **dos** a été réalisé à l'aide d'un pinceau humide et tout en réservant la frange qui définit la colonne vertébrale.

La silhouette a été obtenue à partir des formes géométriques simples dessinées sur le modèle.

Sur le fessier, les coups de pinceau doivent être arrondis et fondre les couleurs sans détruire l'ombre.

Les plantes des pieds ont été peintes avec un lavis très clair de terre d'ombre brûlée et de bleu ; les parties les plus lumineuses ont été laissées en blanc.

THÈME

13 Ébauches

ÉBAUCHES DE PAYSAGES

L'un des sujets d'ébauche les plus appréciés par les peintres amateurs est le paysage avec ciel. Il s'agit en effet d'un thème souple qui permet au peintre de donner libre cours à sa spontanéité et lui offre de nombreuses possibilités d'adaptation en fonction de ses goûts et de ses aptitudes.

L'exécution d'ébauches est l'un des exercices les plus recommandables aux aquarellistes. Sa pratique continue permet au peintre d'apprendre à développer les techniques de l'aquarelle de façon rapide et intuitive. L'exécution d'une ébauche représente un important effort car elle suppose une grande rapidité et une certaine capacité de synthèse. L'aquarelliste doit ignorer les détails et accorder la priorité aux taches de couleur et aux zones de lumière. Tous les lieux sont bons pour réaliser des ébauches ; il suffit de disposer d'une feuille de papier, d'un pinceau et d'aquarelles.

▶ 1. *La forme des nuages étant susceptible de se modifier en très peu de temps, le peintre doit travailler très vite. L'exécution d'ébauches telles que celle que nous vous proposons ici vous permettra d'acquérir une grande dextérité et de résoudre rapidement non seulement les taches de couleur mais aussi l'ouverture des blancs.*

▼ 2. *Tracez une première ligne pour définir le contour des nuages par rapport au ciel, puis une seconde pour situer l'horizon. À partir de ce schéma, dessinez la forme du chemin. Humidifiez la zone correspondant aux nuages à l'aide d'un pinceau propre et humide, sans pénétrer dans celle qui représente le ciel. Peignez le bleu du ciel. La zone des nuages étant humide, une partie de la couleur bleue se fond au niveau des contours, ce qui rompt la définition excessive du tracé.*

▼ 3. *Mélangez du bleu de cobalt et de la terre de Sienne pour obtenir un lavis gris froid grâce auquel vous augmenterez le contraste des nuages. Peignez les taches de l'horizon. Peignez ensuite le chemin avec du carmin violacé et de la terre de Sienne. À l'aide d'un pinceau propre et humide, ouvrez un clair dans la zone supérieure du chemin et au niveau de la tache boueuse qui se trouve au premier plan. Pour terminer cette ébauche, peignez les buissons situés sur la gauche avec divers tons de vert foncé.*

ÉBAUCHES DE NATURES MORTES

Les objets les plus quotidiens permettent à l'artiste de réaliser un travail d'ébauche immédiat. Les éléments de la maison ou du jardin offrent à l'aquarelliste un nombre illimité de modèles et de formes géométriques parfaites telles que des récipients, des vases ou des jardinières, mais aussi des sujets plus simples dont l'aspect est tout aussi agréable : des fleurs, des plantes et un grand nombre d'objets propres aux natures mortes.

▶ 1. *N'importe quel objet de la maison peut être utilisé pour la réalisation d'une ébauche rapide, mais il convient d'être sélectif lors du choix du modèle. Nous vous proposons ici d'exécuter l'ébauche d'une nature morte. Malgré la simplicité apparente des éléments, il s'avère beaucoup plus compliqué de dessiner et de peindre un objet géométrique parfaitement défini qu'un paysage ou des nuages. Dans ce cas précis, nous vous recommandons de prêter une attention particulière aux reflets et aux contrastes entre les objets.*

▼ 2. *Exécutez le schéma en dessinant uniquement les lignes principales, sans plus de précision. N'appuyez pas trop fort sur le crayon à papier ; il vous suffit de dessiner les traits essentiels. Peignez tout d'abord le vase avec un lavis transparent de terre d'ombre brûlée légèrement bleuté. Appliquez la couleur sur le vase à l'aide d'un pinceau plat, puis profilez et délimitez la jardinière. Superposez ensuite un ton plus foncé sur cette couleur claire, en réservant le reflet. Peignez l'ombre sur la jardinière avec un mélange de vert et de gris.*

▼ 3. *Finissez de peindre la jardinière avec le vert employé précédemment. Cette superposition de couleurs entraîne l'apparition d'une coupure foncée. À l'aide d'un pinceau propre et humide, fondez le côté gauche de cette ombre dans un mouvement de zigzag vertical. Définissez ensuite la forme du côté gauche du vase avec la couleur que vous avez utilisée précédemment pour le peindre. Employez une grande variété de tons superposés pour peindre les feuilles. N'appliquez les plus foncés que lorsque les plus clairs sont secs.*

ÉBAUCHES DE PERSONNAGES

L'ébauche d'une personne est plus tape-à-l'œil que celle d'une nature morte, mais elle apporte un plus grand nombre de ressources, tant en ce qui concerne les taches que la couleur elle-même. Ce type de sujet exige une grande attention, non seulement pour l'exécution des formes, essentielle car il convient de respecter les proportions, mais aussi pour l'élaboration des zones de chair et de celles qui correspondent aux vêtements. Observez l'exemple que nous vous proposons. Vous remarquerez que les taches qui synthétisent l'éclairage sont simples à résoudre.

1. *La rue est le meilleur endroit pour exécuter des ébauches de sujets en mouvement. Nous avons choisi ici une jeune fille qui marche. Prêtez une attention particulière au mouvement et à la position des jambes et des bras. Nous vous conseillons d'exécuter les ébauches à partir de modèles naturels, mais vous pouvez aussi travailler à partir de photographies.*

2. *Observez tout d'abord la personne qui vous sert de modèle pendant quelques instants. Tracez ensuite une esquisse rapide des lignes principales au crayon à papier. Le croquis initial au crayon est fondamental lorsque vous travaillez à partir d'un modèle en mouvement car la personne en question sera certainement hors de vue lorsque vous commencerez à peindre. Observez cette ébauche à peine commencée. Vous remarquerez que les principaux points d'intérêt sont la forme de la tête, l'arrondi du dos, les points de flexion des jambes et la base des pieds.*

3. *Finissez de peindre le pantalon avec le ton foncé bleuté que vous avez employé pour peindre la zone sombre de ce vêtement. Peignez ensuite la chevelure avec la couleur terre d'ombre brûlée qui a été utilisée au début. La couleur est foncée dans la zone supérieure de la tête et mélangée avec un ton orangé pour le reste de la chevelure. Peignez le sac à dos en deux étapes ; appliquez tout d'abord un ton rouge très transparent, puis le même ton mais un peu plus opaque sur la zone d'ombre.*

ÉBAUCHES DE VÉGÉTATION

Comme nous l'avons vu au début de ce chapitre, les thèmes issus de la nature offrent toujours une plus grande liberté que les sujets plus exigeants que sont la nature morte ou le corps humain.

Dans le cas des ébauches de paysages, il est important d'interpréter et, si possible, d'améliorer le modèle en modifiant les éléments verticaux ou horizontaux trop parfaits, comme la surface d'un pont ou la verticalité des arbres. L'aquarelliste peut aussi adapter l'ébauche à son intérêt du moment lorsque le modèle n'est pas exactement tel qu'il le souhaite.

▶ **1.** *À première vue, la zone boisée représentée ici peut sembler très complexe car chacune de ses zones contient un grand nombre de petits détails. Il est nécessaire d'apprendre à regarder et à juger de l'impact de l'image d'un simple et unique coup d'œil. Dans le cas de cet exemple, il s'agit d'une composition très symétrique qui divise le cadre en son milieu.*

▶ **2.** *Dessinez uniquement les lignes qui délimitent l'arcade du pont et le cours de la rivière, presque entièrement caché par les herbes. Couvrez toute la surface du tableau, excepté la partie inférieure de l'arcade, d'un mélange non homogène constitué d'une grande proportion de jaune à laquelle vous aurez ajouté du vert et de l'ocre. Peignez les zones d'ombre de la partie supérieure avec un vert très lumineux, sans vous préoccuper du fait qu'il se mélange avec la couleur du fond. Appliquez un vert foncé assez transparent sur les arbres de la partie supérieure et tracez les troncs qui se trouvent sur la droite avec un petit apport de terre d'ombre brûlée sur le vert foncé. Suggérez le pont à l'aide d'un lavis de terre de Sienne brûlée. Peignez la partie située sous l'arcade avec un vert foncé relativement opaque.*

▼

3. *Lorsque vous avez terminé de définir les principales taches de couleur, peignez les contrastes qui permettront de représenter le sol et les herbes. Peignez les arbres du fond avec un vert foncé, à petits coups de pinceau isolés laissant transparaître les tons clairs. Pour terminer, peignez l'herbe à l'aide de traits isolés et gestuels ; utilisez plusieurs tonalités de vert : vert de vessie, vert foncé et vert lumineux.*

pas à pas

Ébauche de personnage

Cet exercice est très intéressant pour tous les peintres amateurs qui se consacrent à l'aquarelle. Cet exemple, qui est bien plus qu'un simple exercice, prétend vous montrer ce qui doit être une pratique constante, fraîche, spontanée et habituelle dans le travail quotidien du peintre : l'ébauche.

Le peintre doit être capable d'exécuter tous les motifs, quelle que soit leur complexité, et la seule façon de résoudre habilement chaque modèle est la pratique. Nous vous proposons ici d'exécuter l'ébauche d'une personne habillée. Comme vous pouvez le constater, la pose ne présente pas de difficulté majeure, mais attention à la structure initiale de la silhouette et à la résolution immédiate des zones de lumière.

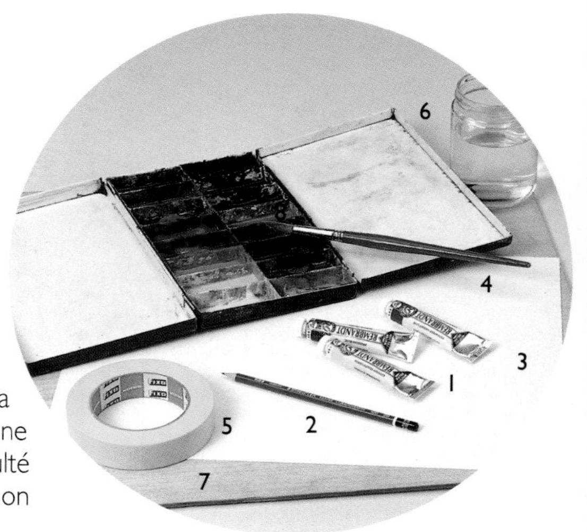

MATÉRIEL NÉCESSAIRE

Couleurs en tube (1), crayon en graphite 2B (2), papier à grain moyen de 250 g (3), pinceau à aquarelle (4), ruban adhésif (5), récipient rempli d'eau (6) et support (7).

1. *S'il est toujours nécessaire de prêter une grande attention au modèle, il convient d'insister particulièrement sur cet aspect dans le cas de l'ébauche d'un personnage. Avant de commencer à dessiner, essayez de comprendre les formes internes de la silhouette, mais aussi la relation qui existe entre les proportions de chaque partie du corps et le volume des vêtements.*

2. Tout au long du thème précédent, nous avons étudié divers processus d'exécution d'ébauches et observé comment la synthèse des formes à partir d'un nombre minimal d'éléments constitue une aide pour le développement de formes complexes. Si vous avez suivi les exemples fournis dans ce thème, vous avez pu constater que les formes qui exigent un grand nombre de détails se résolvent à partir de l'étude des lumières. Dans le cas de ce modèle, la couleur utilisée est la même pour l'ensemble du visage, mais elle est plus diluée dans la zone qui se trouve à gauche ; il s'agit de la zone la plus complexe. Préparez un mélange de rouge et de bleu pour obtenir un ton violacé et appliquez-le sur la zone de la chevelure, en réservant la partie correspondant au reflet, que vous peindrez avec une terre de Sienne brûlée. Peignez la peau avec un orange jaunâtre très vif et laissez les zones lumineuses en blanc. Appliquez une couleur plus intense sur le bras levé. Lorsque la première couche est sèche, peignez les zones d'ombre du visage avec une terre de Sienne.

3. Le modèle doit être schématisé rapidement, à l'aide de taches de couleur. Observez les proportions existant entre les diverses parties du corps et la façon dont les lignes principales se rejoignent. Ne dessinez pas les détails et corrigez les lignes qui délimitent les volumes. Le dessin étant terminé, vous pouvez commencer à peindre. Dans ce cas, l'exécution s'effectue dans un ordre chromatique qui permet de réaliser un travail continu sur les différentes parties du corps. Le bras qui tombe naturellement le long du corps se résout à l'aide d'un ton très transparent.

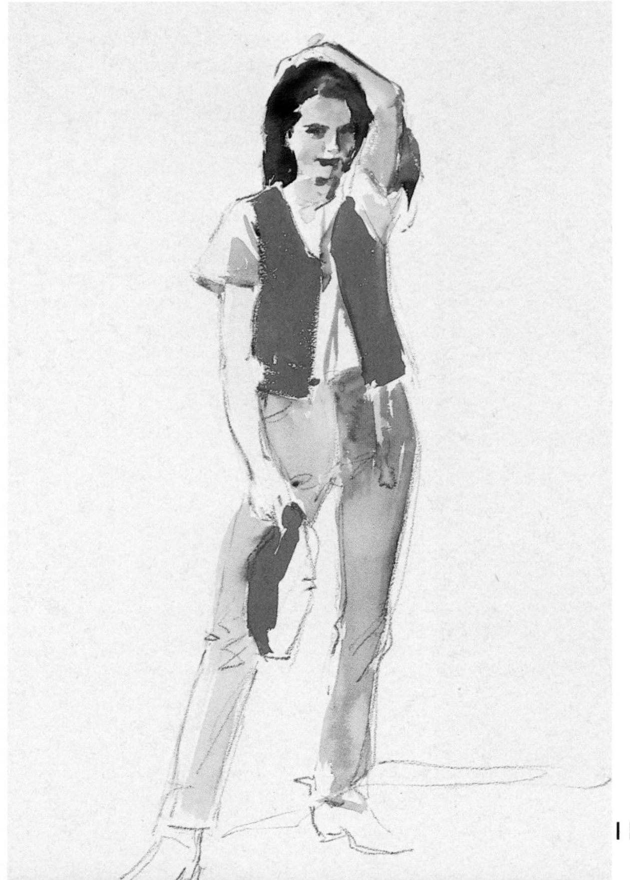

4. Les zones lumineuses permettent de suggérer les volumes sur le visage et le changement de ton permet de représenter la situation des différents plans dans l'espace. Appliquez un rouge vif sur les lèvres ; peignez rapidement le gilet et la zone éclairée du béret. Peignez ensuite la jambe en retrait avec un bleu violacé et enlevez une partie de cette couleur sur la cuisse pour suggérer le volume. Utilisez le même ton, mais beaucoup plus transparent, pour peindre l'autre jambe.

5. *Ce détail vous permet d'évaluer l'évolution de l'ébauche en ce qui concerne le visage et la zone supérieure du tronc. Le travail doit être très rapide et il est donc nécessaire de ne pas prendre en considération un trop grand nombre de détails. Pour représenter les impressions du gilet, appliquez quelques taches foncées sur le fond, dont la couleur s'intégrera telle quelle au graphisme.*

Situez les plis et les parties lumineuses des vêtements avec soin. Ces dernières correspondent aux points de flexion des épaules et des genoux.

6. *Après avoir défini les principales taches qui délimitent les plans du visage, commencez à travailler sur le contraste des formes et sur le volume à partir de l'emplacement des ombres. Si le modelé des couleurs n'existe pas dans l'ébauche, la gradation des différents tons sur fond sec est couramment utilisée. Chaque ton d'origine est recouvert d'une couleur faisant partie de la même gamme pour suggérer le volume. Appliquez une touche de couleur terre de Sienne sur le bras qui tient le béret pour définir son ombre. Peignez l'ombre de la jambe en retrait et tracez les plis du pantalon à l'aide de traits bleus.*

7. *Comme vous l'avez fait pour la jambe gauche, peignez les plis du pantalon sur la jambe droite ; la couleur bleue appliquée au début sert de base à ce nouveau ton, plus foncé. Le ton de la jambe gauche possède une forte tendance violacée. Peignez la jambe droite avec un bleu beaucoup plus pur, mais d'une grande luminosité. Appliquez du noir sur les chaussures tout en réservant les reflets.*

8. Retirez une partie de la couleur orangée près du pouce et appliquez un nouveau glacis très transparent de la même couleur sur le bras. Il ne vous reste plus qu'à peindre l'ombre qui se projette au sol. Ainsi se termine ce travail relatif à l'ébauche d'une personne habillée. Vous avez pu noter l'importance des temps de séchage (même dans le cas de travaux rapides comme celui-ci, il est nécessaire de les respecter pour pouvoir superposer les tons sans qu'ils se mélangent) et constater que la synthèse de la couleur à partir de la réserve des zones les plus lumineuses renforce le dessin d'origine.

SCHÉMA - RÉSUMÉ

Les traits du visage sont très schématisés mais définissent parfaitement chacune des zones.

Les zones les plus lumineuses du **tee-shirt** sont réservées en blanc.

La couleur du gilet se résout en deux étapes : tout d'abord le fond, puis les taches foncées.

Les zones les plus lumineuses du **visage** restent en réserve et sont délimitées par les tons qui les entourent.

Le schéma initial s'effectue au crayon à papier, d'une façon rapide et concise.

Le pantalon se résout en plusieurs étapes ; les plis doivent être peints en dernier.

THÈME

14 Techniques appliquées au paysage

AQUARELLE SUR FOND HUMIDE ET SUR FOND SEC

Les arbres peuvent posséder des formes très variées, mais ils sont faciles à représenter à l'aide d'une combinaison de taches. La première phase du travail consiste à esquisser la zone des arbres. En ce qui concerne la peinture proprement dite, étant donné que les couleurs à l'aquarelle doivent toujours être peintes de la plus claire à la plus foncée, il convient d'appliquer tout d'abord un lavis vert clair.

Une couleur appliquée sur fond humide s'étale, alors que sur fond sec, il est beaucoup plus facile de maîtriser son comportement. Ces deux techniques facilitent l'exécution de toutes sortes de paysages, mais il est important de les employer à bon escient. Le mélange de ces deux techniques, appliquées avec une certaine dextérité, permet d'obtenir des résultats intéressants pour certains éléments du paysage tels que les arbres, les reflets ou une atmosphère déterminée pour le fond du tableau.

▼ *Pour exécuter le lavis, trempez votre pinceau dans l'eau de façon à ce qu'il soit bien imbibé. Prélevez une petite quantité de couleur avec la pointe du pinceau et déposez-la sur votre palette en appuyant sur le pinceau pour que celui-ci libère de l'eau. Mélangez la couleur et l'eau jusqu'à ce que l'ensemble soit homogène.*

▼ *Égouttez votre pinceau pour éliminer l'excès d'eau. Prélevez une petite quantité de couleur diluée sur votre palette et peignez la zone correspondant à la cime de l'arbre. Votre coup de pinceau doit être uniforme et couvrir la totalité de cette zone.*

▼ *Lorsque la couleur qui correspond à la partie la plus claire de l'arbre est presque totalement sèche, appliquez des coups de pinceau isolés sur la surface intermédiaire en utilisant un ton un peu plus foncé. Attendez que la couleur soit complètement sèche, puis peignez les parties les plus foncées correspondant aux zones d'ombre.*

▶ *Pour peindre un bosquet au second plan, le processus est similaire à celui que vous avez employé au début ; la première couche de couleur doit être uniforme. Les tons moyens permettent par la suite d'isoler les points de lumière. Les zones d'ombre doivent être représentées en dernier lieu, à l'aide de tons plus foncés appliqués sur fond sec.*

ARBRES DANS LE LOINTAIN

En général, les fonds des paysages comme le ciel ou l'eau se peignent sur papier humide. Cela permet de réaliser des dégradés de tons et des fondus de couleurs particulièrement appropriés aux rendus de luminosité et d'atmosphère. Lorsque le ton du fond est sec, il est possible de peindre d'autres éléments, par exemple des arbres, ou d'obtenir différents effets tels que des reflets.

▶ **1.** *Il convient avant tout de fixer la feuille sur la planche que vous allez utiliser en tant que support car le papier se gondole facilement lorsqu'il est mouillé. Il est donc nécessaire de le fixer des quatre côtés à l'aide de ruban adhésif pour qu'il reste tendu et ferme. Mouillez-le ensuite à l'aide d'une éponge ; cette technique est très pratique car elle évite la formation de poches d'eau. Appliquez un lavis bleu sur le papier humide, en commençant par le haut ; la couleur doit occuper toute la largeur de la feuille. Le pinceau entraînera de moins en moins de couleur au fur et à mesure que vous descendrez sur le papier.*

3. *Le travail sur fond sec permet de peindre et de tracer des traits très nets et d'une grande précision. Imprégnez le pinceau d'aquarelle, diluée ou dense. Vous pouvez appliquer de nouvelles taches de couleur ou peindre des arbres. Nous vous proposons ci-dessous une solution simple qui vous permettra de résoudre le premier plan : peignez-y des branches tracées à l'aide de quelques traits et des feuilles que vous obtiendrez en appliquant de petites touches de couleur très isolées.* ▲

▶ **2.** *Il n'y a pas de limite au nombre de dégradés pouvant être réalisés. Le fond pourra servir de base pour n'importe quel autre ton, mais il est nécessaire de ne pas trop l'assombrir car le papier risquerait de perdre sa transparence et sa luminosité. Il convient aussi d'éviter de peindre les zones destinées à accueillir un point de lumière ou une couleur plus claire. Lorsque le fond précédent est sec, réalisez un dégradé foncé. Tournez la planche qui vous sert de support pour faciliter l'application horizontale de la couche. Le support étant en position verticale, l'aquarelle a tendance à s'écouler vers le bas ; recueillez l'excès d'eau à chaque passage de pinceau et répartissez la couleur pour éviter qu'elle bave.*

LE BLANC DANS LE CIEL

Comme nous l'avons vu à plusieurs reprises dans ce livre, l'aquarelle est très transparente, si transparente que le blanc du papier est visible au travers de la couleur. Les nuages se détachent sur le ciel en raison de leur blancheur ; ils peuvent être obtenus de diverses façons, la plus simple consistant à laisser la zone qu'ils occupent en blanc.

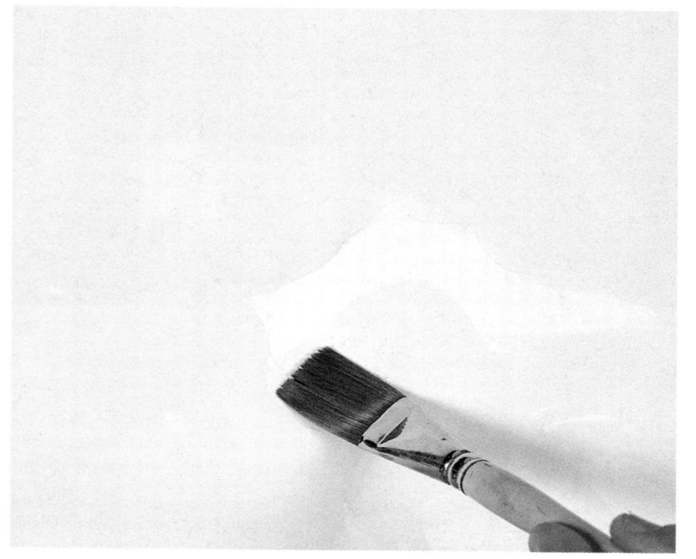

▼ 1. *Pour obtenir différentes intensités de blanc, il suffit d'appliquer un lavis très transparent et de laisser en blanc les zones les plus lumineuses. Pour éviter les transitions brutales, humidifiez le fond à l'aide d'une éponge ou d'une brosse préalablement égouttée. Le papier restera intact dans les zones que vous n'aurez pas mouillées. Appliquez un lavis de couleur ocre sur toute la feuille. Il doit être très transparent de façon à n'altérer que légèrement la couleur du papier.*

▼ 2. *La couleur de base du fond étant sèche, vous pouvez peindre le ciel sans aucune difficulté car le bleu utilisé est plus foncé que le premier lavis. Ne peignez pas les zones destinées à accueillir les gros nuages. Le bleu du ciel peut être peint de façon homogène.*

L'excès d'eau présent dans certaines zones est plus facile à absorber lorsque le pinceau employé possède une grande capacité de rétention d'eau et une touffe dense en soies naturelles. Pour retirer de la couleur dans des zones ponctuelles ou tracer de fines lignes blanches, nous vous conseillons d'utiliser un pinceau moyen en poil de martre ; la pointe de ce type de pinceau est effilée et facilite l'ouverture de petits détails, et la touffe permet d'absorber l'eau.

◀ 3. *Alors que la couleur est encore humide, absorbez-en une partie à l'aide d'un pinceau propre et sec, sans toucher aux zones de réserve qui n'ont pas été peintes. Rincez le pinceau et égouttez-le sur un chiffon avant de répéter cette opération. Plus vous passerez le pinceau sur la zone concernée, plus vous enlèverez de couleur. Lorsque vous avez terminé d'ouvrir les blancs sur le papier, appliquez un nouveau lavis bleu pour redéfinir la forme des nuages. Vous pouvez ensuite ouvrir de nouveaux nuages sur ce fond. Les nuages ouverts de cette façon sont toujours plus spongieux que ceux qui ont été laissés en réserve.*

REFLETS SUR L'EAU

Pour obtenir un bon résultat, il est important de ne pas oublier que les reflets peints à l'aquarelle dépendent fondamentalement de deux facteurs : le fond de la composition et la couleur foncée utilisée pour le reflet.

Nous avons vu précédemment comment exécuter un dégradé. C'est ce type de fond que nous allons utiliser comme base pour créer des reflets.

Les reflets doivent être exécutés sur fond totalement sec pour éviter que la peinture s'étale.

1. Nous avons déjà étudié, dans ce chapitre, la majorité des ressources nécessaires pour peindre un paysage fluvial : le dégradé du fond, les arbres et la végétation au loin, et l'exécution d'un ciel. La zone qui correspond à l'eau doit toujours être peinte dans un ton légèrement plus foncé que celui du ciel. Les coups de brosse doivent être longs et continus pour ne pas créer de coupure à l'endroit où ils se superposent.

2. Après avoir peint les arbres et la rive, appliquez quelques coups de pinceau de la même couleur que le bosquet dans la zone correspondant à l'eau. La masse de couleur doit être beaucoup plus foncée et plus dense dans la partie proche de la rive. Peignez la zone de reflets avec le ton le plus foncé utilisé pour les arbres. L'extrémité de cette zone se termine en zigzag et les taches doivent y être plus minces.

3. Pour terminer la représentation du reflet, rehaussez ses contrastes en appliquant des touches de couleur plus foncées que le ton initial sur le fond totalement sec. Les traits les plus foncés doivent être séparés par un espace de façon à laisser respirer le fond.

Le papier est susceptible de se graisser lorsque vous le touchez avec les doigts ou lorsque vous utilisez une gomme grasse et il est malheureusement impossible de peindre à l'aquarelle sur une surface grasse. Pour résoudre ce problème, saupoudrez le papier de talc, puis retirez-le. Vous pourrez alors peindre sans difficulté et la couleur retrouvera sa fluidité.

pas à pas

Paysage avec reflets sur l'eau

L'aquarelliste doit posséder de nombreuses années d'expérience pour atteindre un excellent niveau de peintre paysagiste. Néanmoins, à partir du moment où vous dominez un certain nombre de notions, vous pouvez réaliser des tableaux très acceptables. Nous avons déjà étudié quelques-uns des éléments les plus courants des paysages dans ce thème. La majorité d'entre eux, comme l'exécution de ciels et d'arbres au loin, peuvent être appliqués au paysage en général. La peinture des reflets s'applique, bien entendu, aux paysages fluviaux et aux marines. Le paysage que nous avons choisi pour l'exercice ci-après peut, à première vue, vous paraître complexe, mais vous verrez qu'en réalité, il n'est pas très compliqué ; toutes les ressources employées sont expliquées en détail tout au long de ce thème.

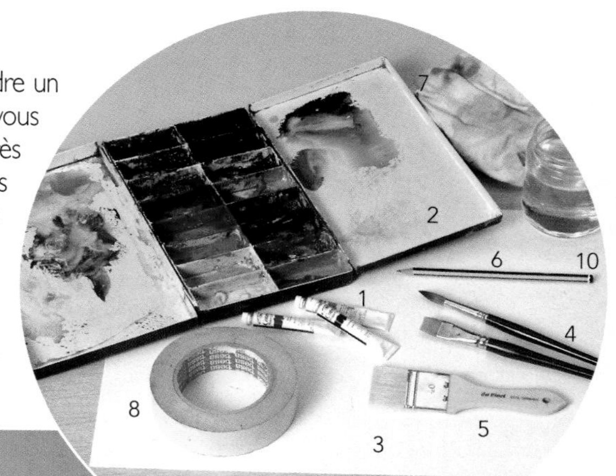

MATÉRIEL NÉCESSAIRE

Aquarelles en tube (1), boîte-palette (2), papier à aquarelle à grain moyen (3), pinceaux à aquarelle (4), brosse (5), crayon à papier (6), chiffon (7), ruban adhésif (8), planche pour fixer le papier (9) et récipient rempli d'eau (10).

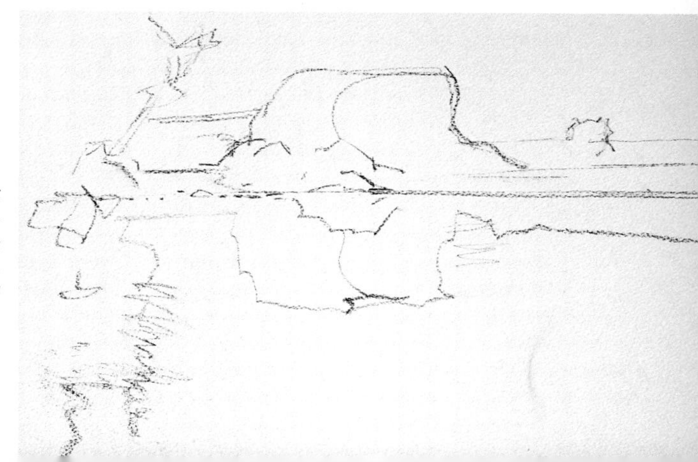

1. *Dessinez les formes essentielles du paysage ; les traits doivent être très propres. Tracez tout d'abord la ligne qui situe la séparation entre l'eau et la végétation, puis sur cette ligne, esquissez le volume principal des arbres. Dans la zone qui correspond à l'eau, dessinez la même forme, mais à l'envers, comme s'il s'agissait d'un reflet dans un miroir. Esquissez ensuite, de façon concise, la forme de la végétation qui se trouve sur la gauche.*

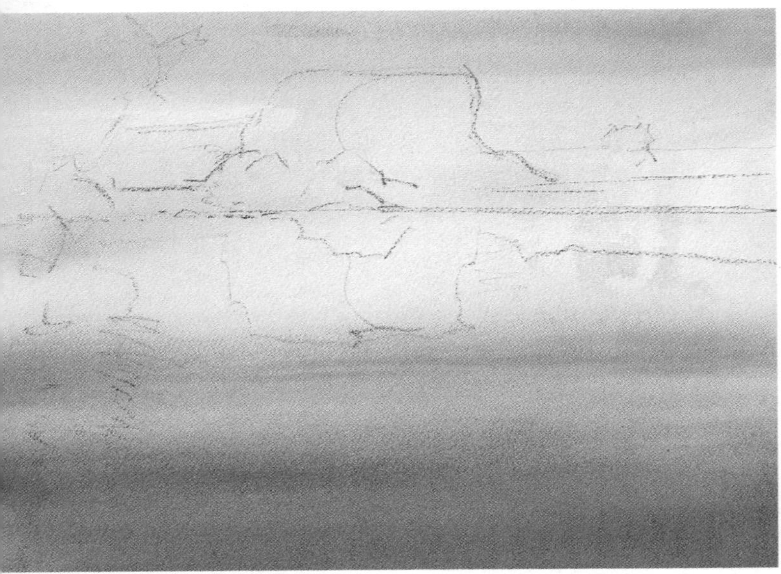

2. Comme nous l'avons vu dans la partie théorique, le fond s'obtient à partir de dégradés et de fondus qui doivent être appliqués à coups de pinceau longs et horizontaux. Humidifiez le papier, puis appliquez une tonalité jaunâtre très claire dans la zone qui correspond à la partie basse du ciel. Avant que cette couleur sèche, peignez un dégradé bleu dans la partie supérieure. Appliquez un ton bleu légèrement plus foncé dans la zone intermédiaire. Préparez ensuite un mélange d'ocre, de terre de Sienne et de vert, et appliquez-le dans la zone inférieure du tableau.

Vous pouvez utiliser un sèche-cheveux portable pour accélérer le séchage de la couleur lorsque vous travaillez en combinant les techniques de peinture sur fond humide et sur fond sec. Évitez d'approcher l'appareil trop près du papier car vous risqueriez de provoquer une accumulation de gouttes de lavis qui se transformeraient en lignes, visibles sur le papier.

3. Lorsque le fond est parfaitement sec, vous pouvez commencer à superposer d'autres tons sans risque de mélange entre les couleurs. Comme nous l'avons vu au début de ce chapitre, les arbres doivent être peints en plusieurs étapes. Peignez tout d'abord le fond des arbres avec un lavis très clair et de façon uniforme. Appliquez ensuite quelques touches de couleur verticales en utilisant un ton moyen. Ne peignez les zones les plus foncées que lorsque la peinture est sèche. Mélangez de l'ocre avec une petite quantité de vert lumineux et appliquez le ton obtenu, en une fois et d'un long coup de pinceau, sur la zone correspondant à la rive couverte d'herbe sèche. Tracez ensuite une longue ligne orangée dans la partie supérieure.

4. Pour peindre le reflet sur l'eau, suivez les indications fournies dans la partie technique. Le lavis que vous avez appliqué au début forme un dégradé doux qui tend vers le blanc du papier et coïncide avec la rive dans sa partie la plus claire. En partant de la rive, appliquez de longs coups de pinceau de vert de vessie très foncé. Les taches de couleur doivent presque se toucher dans la partie supérieure du reflet et devenir ensuite de plus en plus fines et espacées au fur et à mesure qu'elles s'éloignent de la rive.

5. *Peignez la tonalité la plus foncée de la zone droite du reflet et les verts les plus clairs, obtenus en mélangeant du vert de vessie et un vert lumineux, du côté gauche. Les touches de couleurs appliquées sur la partie foncée du reflet doivent être longues, fines et horizontales. Insistez à plusieurs reprises sur la zone la plus foncée pour que les couleurs se mélangent, bien que la couche précédente soit sèche. Lorsque vous avez terminé de peindre la partie lumineuse du reflet, tracez les lignes de la zone inférieure avec un ton un peu plus foncé. Notez que la partie lumineuse du reflet coïncide avec la partie lumineuse des arbres.*

6. *Peignez de nouvelles taches de couleur sur le vert des arbres pour mieux définir leurs formes : utilisez du bleu pour la première rangée d'arbres qui se trouve sur la gauche et du vert foncé, appliqué verticalement, pour les arbres du fond. Revenez à la zone des reflets : différenciez le premier plan et le second plan des reflets comme vous l'avez fait pour les arbres. Finissez de peindre la partie principale du reflet à l'aide du même ton lumineux que pour la zone des arbres. Lorsque celui-ci est sec, peignez le reflet du bosquet du fond à l'aide de traits horizontaux d'un vert assez foncé. Procédez ici comme nous l'avons expliqué dans la partie technique : appliquez des touches de couleur isolées sur le bleu du ciel pour représenter les branches.*

La taille du reflet doit être similaire à celle des arbres qui sont à son origine car ceux-ci se trouvent au bord de la rive. La taille du reflet serait plus réduite si la distance entre les arbres et la rive était plus grande.

7. *Appliquez des taches verticales de couleur orangée jaunâtre légèrement teintée de vert dans la zone de végétation qui se trouve sur la gauche. Peignez ensuite l'arbre situé sur la droite du tableau avec un vert lumineux, puis appliquez quelques touches de couleur plus foncées autour de cet arbre pour donner de la profondeur à l'arrière-plan. Peignez également une frange de tonalité foncée sur la zone de la rive ; elle servira de séparation entre la végétation et l'eau. Peignez quelques traits de la couleur de l'arbuste pour représenter son propre reflet.*

8. *Il vous faut maintenant appliquer de nombreux traits de couleur sur la zone gauche des reflets pour terminer cette partie. Les couleurs employées doivent être constituées de vert et de bleu, mais ne doivent pas obstruer totalement les premiers tons jaunâtres plus lumineux. Plus vous descendez sur le papier, plus vous devez espacer les traits. Retouchez également la végétation de cette zone de façon que le fond soit presque entièrement recouvert. Pour terminer, appliquez de très longues touches de couleur bleue dans la partie inférieure de l'eau ; elles se fondront sur le fond brunâtre.*

SCHÉMA - RÉSUMÉ

Les tons moyens des arbres alternent avec des touches de couleur très foncées qui facilitent la compréhension du volume.

Des lignes et de petites taches ont été appliquées sur le fond sec pour représenter **les branches et les feuilles.**

Les reflets ont été peints à l'aide de traits fins horizontaux ; la séparation entre les traits s'accroît au fur et à mesure que la distance avec la rive augmente.

Un vert foncé relativement dense a été appliqué sur un premier ton lumineux pour représenter **les arbres.**

Le fond est obtenu par application de divers dégradés très clairs sur le papier humide. Les couleurs doivent être appliquées à la brosse, en bandes longues et horizontales.

Il est possible de superposer plusieurs tons qui se mélangeront à la couleur sèche. Il convient pour ce faire d'insister à l'aide d'un pinceau légèrement humide imprégné de couleur foncée. Pour ouvrir des **clairs**, il suffit de procéder de la même façon, mais à l'aide d'un pinceau humide et propre.

THÈME

15 Paysage de montagne

STRUCTURE DU PAYSAGE

Ce premier exercice vous permettra de définir l'essentiel de la structure du paysage. Le premier point important consiste à réaliser une bonne esquisse ; vous ne pourrez envisager le traitement de la couleur qu'à partir du moment où vous aurez résolu le dessin. Les couleurs employées pour le ciel de cet exemple sont des gris bleutés. Pour obtenir la couleur de base sur votre palette, mélangez du violet foncé avec une pointe de noir ; vous obtiendrez toutes les gradations possibles à partir de ce mélange.

Le paysage montagneux est, sans aucun doute, l'un des thèmes les plus intéressants à exécuter à l'aquarelle ; contrairement à d'autres sujets tels que les natures mortes et les personnages, qui exigent une grande rigueur au niveau des proportions, le paysage montagneux autorise une grande liberté de traitement, bien qu'il ne s'agisse pas d'un thème véritablement facile. Avec un peu de pratique, vous pourrez exécuter des œuvres similaires à celle que nous vous proposons ci-dessous. Le peintre amateur doit avant tout apprendre à alterner les techniques sur fond sec et sur fond humide.

▶ 1. *Employez une couleur dense pour peindre la zone supérieure du tableau ; appliquez un lavis étendu en prenant soin de réserver quelques parties plus claires et plus lumineuses. Peignez le sol avec différents tons verts et jaunes très lumineux pour favoriser le contraste de cette zone avec celle du ciel.*

◀ 2. *Les zones inférieures doivent être peintes avec des tons plus lumineux que ceux employés pour la zone supérieure. À l'aide d'un pinceau mouillé, étirez le ton jusqu'à ce qu'il couvre toute la frange du ciel. Appliquez des tons beaucoup plus foncés dans la zone intermédiaire, mais faites en sorte qu'ils ne se fondent pas avec ceux du fond. Pour terminer, peignez les couleurs les plus foncées, dans des tonalités qui se rapprochent du noir. Appliquez également des tonalités foncées dans la partie inférieure ; le plan le plus éloigné doit rester fortement éclairé et contraster avec le fond du ciel.*

PREMIÈRES TACHES DE COULEUR

L'esquisse du paysage doit être terminée avant que vous commenciez à peindre. Il n'est pas toujours indispensable de dessiner les nuages ; ils peuvent parfois être peints directement, en particulier lorsqu'ils possèdent des formes abstraites et lorsqu'ils sont obtenus à partir de dégradés. Le sol des paysages montagneux requiert plus d'attention que les nuages car ses formes sont plus complexes et requièrent des espaces réservés pour les tons clairs et les blancs lumineux. Comme cela est habituel pour tout travail à l'aquarelle, les zones les plus claires et les plus lumineuses doivent toujours être réservées dès l'application des premières taches de couleur.

▶ 1. *La première phase doit être un lavis presque transparent. Sa finalité est de casser le blanc du papier pour que les nuages se différencient des couleurs plus claires du paysage montagneux, dont les zones de neige présenteront des blancs purs. Ce lavis servira de base à la couleur foncée qui sera appliquée dans la zone supérieure, c'est-à-dire une couleur gris plomb qui traversera toute la largeur du tableau et fusionnera avec le lavis du fond.*

▼ 2. *Les zones les plus lumineuses sont peu à peu entourées de zones plus foncées. Lorsque le fond est sec, appliquez un lavis gris très lumineux sous la partie foncée de la zone supérieure. Éclaircissez la couleur sur votre palette jusqu'à ce qu'elle devienne très transparente, puis ajoutez-y une petite quantité de bleu ; utilisez ce mélange pour peindre les zones gris clair des nuages. Peignez les bleus du ciel avant que la couleur soit sèche.*

▼ 3. *Après avoir appliqué les premières taches de couleur sur le ciel, peignez les montagnes les plus lumineuses qui se trouvent au fond à droite et laissez en réserve les parties qui correspondent aux zones les plus claires. Le blanc de la montagne est ici délimité par le bleu du ciel. Pour rehausser le contraste de la neige sur les montagnes les plus éloignées, appliquez de petites taches de couleur verte presque transparente. Peignez la zone la plus proche avec un marron très foncé.*

TONS FONCÉS ET CONTRASTES

Lorsque les couleurs et les tons les plus transparents sont peints, les premiers contrastes délimitent les zones les plus lumineuses. C'est le moment adéquat pour appliquer les tons foncés et les contrastes les plus denses, de façon que les zones plus lumineuses réservées depuis le début acquièrent la brillance et la présence nécessaires.

◀ **4.** *Après avoir appliqué les tons initiaux et réservé les zones les plus lumineuses, augmentez les contrastes pour obtenir la réserve de blancs de l'arbre situé à gauche. Ces taches de couleur doivent être exécutées avec soin, de façon que l'on ait l'impression que la couleur blanche du papier provient d'une couche de couleur. À coups de pinceau très fins, délimitez la forme des branches des deux côtés ; peignez ensuite le fond à l'aide de petites taches très foncées.*

▼ **5.** *L'arbre qui se trouve à droite du tableau doit être peint de la même façon que celui qui est situé à gauche, mais avec un gris beaucoup plus clair. Assombrissez quelques-unes des zones des montagnes du fond avec un ton bleuté. Le bleu du fond est maintenant perçu comme de la neige dans l'ombre. Retouchez les bleus de la zone inférieure du ciel de façon que la forme des montagnes, qui sont maintenant fortement éclairées par le contraste, se découpe sur le fond.*

▼ **6.** *Peignez les tons foncés qui se trouvent au premier plan à l'aide de diverses tonalités de couleur terre et définissez les branches blanches de l'arbre situé sur la droite. Ainsi se termine l'exécution de ce beau paysage de montagne dont le thème principal était le traitement du blanc en tant que contrepoint des contrastes foncés du sol et des nuages.*

PROFONDEUR ET COULEUR

Pour peindre en plein air, il convient de choisir les heures durant lesquelles la nature se montre dans toute sa splendeur. Si vous avez de la chance, vous assisterez peut-être à ces instants merveilleux au cours desquels le ciel acquiert des couleurs de rêve, presque irréelles ; il vous faut profiter au maximum de ces moments. Nous vous proposons, dans cet exercice, de peindre l'un de ces ciels chargés de lumière et de couleur.

▶ **1.** *Dessinez tout d'abord la forme du paysage pour définir l'emplacement de la ligne d'horizon qui sépare le ciel et la terre. Dessinez également les montagnes car il s'agit des éléments les plus lointains. Étant donné que les proportions varient selon la distance, les irrégularités du terrain vous aideront à définir les différents plans. Peignez tout d'abord le ciel, en commençant par la zone supérieure ; utilisez un lavis violet transparent dans la partie la plus haute et légèrement plus dense dans la partie inférieure. Avant que cette couleur soit sèche, appliquez une couleur orangée ; le violet et l'orange se fondent et se renforcent mutuellement. Si, au contraire, vous voulez obtenir un coup de pinceau bien défini, le fond doit être sec.*

▼ **2.** *Peignez la zone restée blanche avec un ton ocre jaune que vous superposerez à la couleur orangée ; dans les parties où ces deux couleurs entrent en contact, elles se mélangent en raison de l'humidité, mais elles ne fusionnent pas totalement car la première couleur est presque sèche lorsque vous appliquez la seconde ; par contre, dans la zone centrale que vous avez peinte en dernier lieu, la couleur se fond totalement avec l'ocre. Sous ce ciel aux couleurs très chaudes, commencez à peindre le paysage avec un ton violet très foncé.*

▼ **3.** *Profitez du fait que les couleurs du ciel sont en train de sécher pour réaliser plusieurs interventions destinées à modeler les nuages ; contrastez le violet jusqu'à ce qu'il soit assez foncé et utilisez ce ton pour délimiter les nuages et quelques clairs dans la zone supérieure droite ; peignez également quelques taches de lumière dans le ciel avec un rouge de cadmium. Appliquez ensuite des couleurs très foncées sur le sol ; elles contrasteront fortement avec le ciel. Laissez quelques zones complètement ouvertes : elles représenteront les reflets à la surface de l'eau.*

pas à pas

Paysage de montagne

L'aquarelle est un médium complètement transparent. Ses couleurs doivent être superposées en fonction de leur opacité, de façon que les zones les plus lumineuses soient délimitées par les plus foncées. L'ouverture de blancs permet de rendre sa luminosité à une zone préalablement assombrie. Associée à la réserve, cette ressource facilite la réalisation de toutes sortes de textures sur le sol. Le paysage de montagne exige de multiples ressources qui permettent de faire ressortir la transparence et de réaliser toutes sortes de travaux de texture, tant sur fond sec que sur fond humide, pour obtenir une fusion des tons. L'exercice que nous vous proposons ci-dessous n'est pas excessivement complexe, mais exige néanmoins que le peintre amateur prête une attention particulière à la définition de chacune des zones du tableau.

MATÉRIEL NÉCESSAIRE

Aquarelles (1), palette (2), papier à grain moyen de 250 g (3), pinceaux à aquarelles (4), fusain (5), récipient rempli d'eau (6) et chiffon (7).

1. *Les premières lignes tracées doivent être très concises et ne comporter aucun type de détails ni d'ombre. Les peintres utilisent généralement un fusain pour réaliser ce type d'esquisse car les traits tracés au fusain sont plus instables que ceux réalisés au crayon à papier et peuvent être effacés d'un simple coup de chiffon ; de plus, ils ne laissent pratiquement pas de traces.*

2. Pour commencer à peindre, il vous faut tout d'abord humidifier le fond : mouillez la surface du papier à l'aide d'un pinceau chargé d'eau propre et répartissez l'humidité sur toute la feuille. Il est très important que le papier se trouve en position verticale lorsque vous travaillez sur fond humide ; cela permettra à la couleur de s'écouler vers le bas. Avant que le fond soit sec, appliquez une couleur ocre sur les pans des falaises et une couleur verte sur la végétation qui se trouve dans la zone supérieure de celles-ci.

3. Profitez du fait que le fond est encore frais pour réaliser les premières ouvertures de blanc à l'aide d'un pinceau propre et légèrement humide : passez votre pinceau verticalement sur les pans des falaises jusqu'à ce que les zones traitées s'éclaircissent. Lorsque votre pinceau commence à se charger de couleur, nettoyez-le et égouttez-le avant de recommencer à insister sur les zones concernées. Il est important de respecter le temps de séchage de chaque couche car si la couleur du fond est trop humide, elle risque d'inonder la zone ouverte.

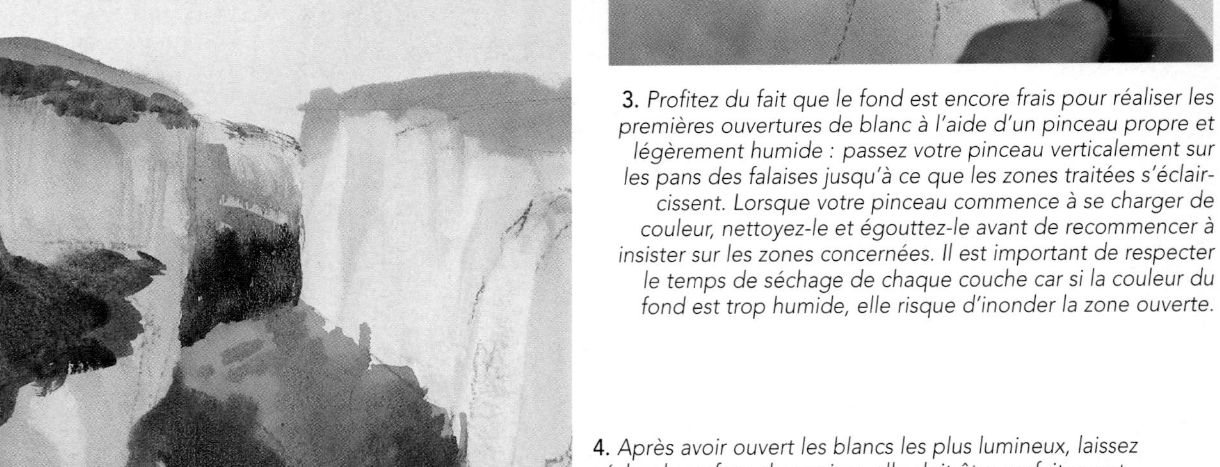

4. Après avoir ouvert les blancs les plus lumineux, laissez sécher la surface du papier ; elle doit être parfaitement sèche avant l'application de nouveaux glacis si vous souhaitez éviter que les couleurs se mélangent. Cela étant, vous pouvez peindre la zone supérieure des falaises avec des couleurs foncées ; appliquez tout d'abord des tonalités bleues, puis ouvrez des clairs à l'aide d'un pinceau. Observez les couleurs utilisées : il y a deux tons de vert. L'un d'entre eux, le plus clair et le plus lumineux, s'emploie pour le fond du ravin, et l'autre, plus foncé, pour les zones d'ombre.

5. Peignez la rivière avec un bleu de cobalt très transparent, mais veillez à réserver les reflets de cette zone.

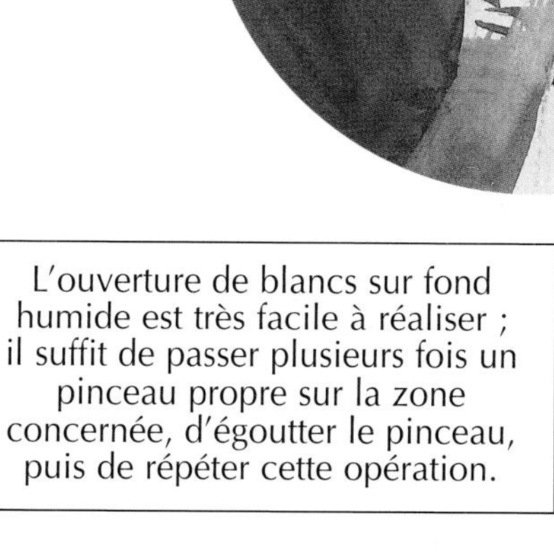

L'ouverture de blancs sur fond humide est très facile à réaliser ; il suffit de passer plusieurs fois un pinceau propre sur la zone concernée, d'égoutter le pinceau, puis de répéter cette opération.

6. Les couleurs utilisées pour peindre les paysages montagneux peuvent être des plus variées et inclure n'importe quel ton ou mélange, selon la distance et la texture. Le cas présent en est un bon exemple : mélangez du violet et du bleu de cobalt pour peindre la paroi rocheuse qui se trouve au fond et à droite, puis diluez cette tonalité pour peindre les zones foncées de la paroi rocheuse la plus proche.

7. Appliquez une couche de bleu très dense sur la zone correspondant à la rivière ; faites en sorte que cette couleur laisse entrevoir les tonalités précédentes près des zones de reflets. Contrastez la végétation qui se trouve sur la gauche avec des verts denses et foncés. Préparez un mélange de couleurs verdâtre et ocre, puis appliquez-le sur la paroi située sur la gauche ; le fond étant parfaitement sec, cette nouvelle couche peut être traitée comme un glacis transparent suffisamment coloré pour modifier le timbre chromatique du fond. Avant que cette nouvelle couche soit sèche, égouttez le pinceau et passez-le à plusieurs reprises sur les endroits où vous souhaitez ouvrir de nouveaux clairs, en insistant jusqu'à ce que vous obteniez des traits d'une grande luminosité.

8. *Après avoir ouvert les derniers clairs sur le papier, peignez les contrastes les plus denses sur les parois rocheuses ; utilisez de l'ocre pour certaines zones. Avant de continuer, attendez que cette couche soit sèche pour éviter que la peinture s'étale. Superposez alors un lavis bleu foncé très maîtrisé ; il doit être appliqué sans insister sur la couche inférieure pour éviter de la ramollir et de retirer une partie de la couleur. Il ne vous reste plus qu'à ouvrir quelques blancs très lumineux dans la zone de la paroi rocheuse et à l'aide d'un pinceau propre et humide.*

SCHÉMA - RÉSUMÉ

Les couleurs de la végétation de **la zone supérieure des falaises** et des parois doivent se fondre légèrement.

Le fond doit être parfaitement sec avant de commencer à peindre **les tons foncés** qui définissent la zone rocheuse.

Le fond des falaises doit être peint sur fond humide.

L'ouverture de clairs sur **les parois rocheuses** s'effectue à l'aide d'un pinceau propre et légèrement humide.

Les dernières ouvertures de blancs sur la droite des parois rocheuses permettent de rehausser le contraste entre les tons.

THÈME

16 Texture de la peau

LA COULEUR DE LA PEAU

La composition chromatique de la peau s'obtient à l'aide de couleurs, de tons et de reflets divers. Lorsque la peau est jeune, elle reflète la lumière de façon uniforme et les reflets sont précis. Au contraire, lorsque la peau vieillit, elle ne reflète plus la lumière de façon uniforme, sa texture est plus marquée et les ombres causées par les rides du visage augmentent.

Le rendu de la peau correspond à une phase avancée de l'étude de la gradation appliquée aux personnages. La couleur de la peau est l'un des sujets les plus complexes de l'aquarelle. Les exemples que nous vous proposons sur ces pages ont été réalisés à partir d'œuvres classiques. Nous vous fournirons, dans ce thème, les ressources fondamentales qui vous permettront de résoudre l'un des problèmes les plus communs relatifs au nu et au portrait : la peau et sa texture.

▶ **1.** *Sur cet exemple, l'ombre est uniquement représentée par une légère différence de ton par rapport aux zones de lumière, alors que celles-ci présentent des ouvertures de clairs, nécessaires pour que la peau reflète la lumière de l'environnement ; le modèle est un enfant. Pour obtenir la texture, peignez tout d'abord la couleur de la peau en réservant les zones lumineuses à l'aide du ton le plus foncé. Le ton utilisé doit être très transparent. Mélangez par exemple du carmin, du jaune de Naples et une petite quantité d'ocre ; il n'est pas nécessaire que le mélange soit exactement identique à celui que nous indiquons, mais il est important que la couleur de la peau soit obtenue à partir de tonalités chaudes et très transparentes.*

◀ **2.** *Les tons les plus clairs de la peau peuvent être obtenus en déplaçant la couleur au pinceau sur le fond sec (pour délimiter les reflets) ; vous pouvez aussi appliquer un glacis bleu dans certaines zones pour suggérer une plus grande finesse ou transparence de la peau, ou encore, absorber la couleur à l'aide d'un pinceau propre dans les zones de reflets. Si la peinture est sèche, des passages répétés du pinceau vous permettront d'ouvrir des blancs ou des clairs parfaitement définis. Dans le cas présent, la texture de la peau s'obtient par fusion de deux tons de couleurs différentes. L'ombre est obtenue par fusion du ton dans les zones dans lesquelles il entre en contact avec le ton inférieur ; cette fusion doit être minimale et très maîtrisée.*

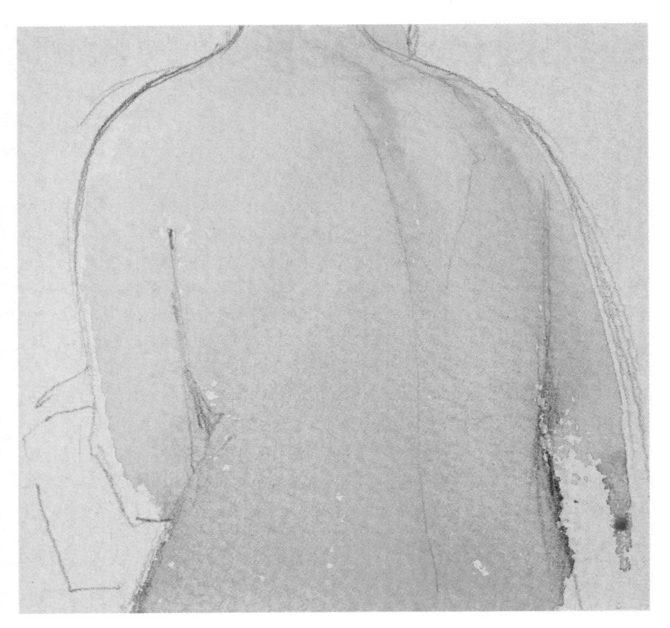

LE MODELÉ DE LA PEAU

S'il est important de pouvoir représenter la texture d'une peau jeune, il convient également de maîtriser le modelé pour exécuter une texture de peau correcte sur n'importe quel modèle. Nous étudierons ici, en détail, chacune des étapes de ce processus. Cet exemple montre l'une des nombreuses possibilités offertes par l'aquarelle.

> Le papier revêt une grande importance pour les travaux à l'aquarelle qui requièrent des corrections incessantes.

▶ **1.** *Le premier glacis sert de base à l'exécution de la texture de la peau. Grâce à cette couleur initiale, toutes les applications ultérieures agiront à la façon d'un filtre et modifieront la couleur originale en fonction de leur opacité.*

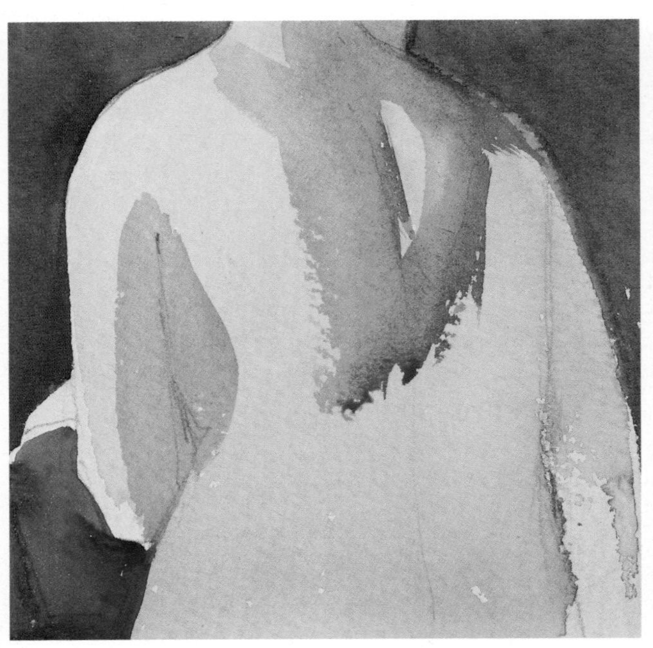

▼ **2.** *Assombrissez le fond, puis peignez les principales ombres avec les couleurs suivantes : terre de Sienne pour le dos et terre d'ombre brûlée pour le bras. Cette phase de peinture et la suivante doivent être réalisées avant que la couleur soit sèche pour que les tons fusionnent. Il est important de bien réguler l'humidité de la couleur pour éviter que le papier soit inutilement détrempé.*

▼ **3.** *Étalez les taches de couleur à l'aide d'un pinceau humide et insistez sur celui-ci pour qu'elles fusionnent avec le fond. Les parties réservées doivent correspondre aux zones les plus lumineuses de la peau. Il vous faudra tenir compte de cet aspect pour tous les travaux faisant intervenir la couleur de la peau. Réservez ces zones dès le début, cela vous évitera d'avoir à les ouvrir plus tard. Adoucissez les ombres en y passant un pinceau humide à plusieurs reprises. Définissez les contrastes les plus accentués en les soulignant légèrement ; les formes et la texture de la peau acquerront ainsi la brillance et le volume nécessaires.*

LA TEXTURE DE LA PEAU DU VISAGE

S'il est important de pouvoir représenter la texture d'une peau jeune, il convient également de maîtriser le modelé pour exécuter une texture de peau correcte sur n'importe quel modèle. Nous étudierons ici, en détail, chacune des étapes de ce processus. Cet exemple montre l'une des nombreuses possibilités offertes par l'aquarelle.

◀ 1. *Le dessin initial doit être aussi parfait et exempt d'erreurs que possible. Dessinez chaque partie du visage avec une précision maximale et en tenant compte des proportions entre les traits. Dans le cas de cet exemple, tracez des plans très définis. Peignez le fond dans une tonalité foncée pour délimiter les contours du visage et appliquez dès le début un glacis très transparent de couleur terre de Sienne sur toute la surface du visage.*

▼ **2.** *Que vous souhaitiez obtenir une fusion ou une superposition des tons, il est indispensable que vous respectiez les temps de séchage entre les couches. Peignez le front avec une couleur orangée mélangée à une petite quantité de terre de Sienne, en laissant en blanc les zones qui correspondent aux rides ; pour que cela soit possible, le fond doit être sec. Au fur et à mesure que vous descendez sur le visage, ajoutez du carmin. Délimitez les zones de réserve correspondant aux rides du front à l'aide d'une tonalité orangée.*

▼ **3.** *Appliquez un glacis de couleur jaunâtre sur les zones préalablement réservées correspondant aux rides du front et au nez. Les couleurs inférieures étant sèches, retouchez-les à l'aide d'un pinceau humide pour que les tons des zones de transition fusionnent et pour définir les formes des ombres. L'application d'un pinceau humide sur la zone concernée permet de maîtriser la fusion du ton sur le fond. Vous pouvez ensuite ajouter de nouveaux tons sur le fond sec ; ils vous permettront de déplacer une partie de la couleur (nez) ou d'augmenter le contraste par superposition (rides du front).*

REFLETS ET OMBRES

Les caractéristiques des reflets sur la peau dépendent de la tension de celle-ci et de la quantité de lumière qu'elle reçoit. Certaines zones ont tendance à briller plus que d'autres, surtout dans les endroits où la peau est lisse ou légèrement grasse comme sur le nez ou le front. Les reflets sur la peau doivent être réservés dès le début, puis délimités avec des tons foncés lorsque la première couche est sèche. Les tons de lumière et d'ombre peuvent être définis de façon très lumineuse lors de la première intervention de couleur.

▶ **1.** *Les zones lumineuses du visage doivent être réservées dès le début. Résolvez le lavis du fond à l'aide de deux tonalités différentes pour séparer les plans de lumière. Lorsque le dessin est terminé, peignez la zone de lumière avec une tonalité très lumineuse de couleur ocre jaune, en réservant la partie la plus lumineuse. Le point maximal de lumière se trouve sur le nez. Appliquez un glacis foncé sur la zone d'ombre pour rehausser le contraste des principaux reflets. La présence d'un ton foncé près d'une zone lumineuse fait ressortir le point de lumière, qui semble alors encore plus brillant. Les zones éclairées de la peau ont maintenant un aspect beaucoup plus brillant et les zones réservées un aspect beaucoup plus lumineux.*

▼ **2.** *L'augmentation des contrastes d'une zone du visage fait ressortir les tons clairs adjacents. Pour équilibrer les lumières sur la peau, rehaussez le contraste de la partie supérieure de la paupière à l'aide d'un ton terre de Sienne ; l'œil acquiert ainsi une plus grande profondeur. Avec la même couleur, mais légèrement plus diluée, assombrissez l'ombre du nez pour augmenter la luminosité du reflet correspondant. Appliquez ensuite un ton rougeâtre très transparent sur le front pour donner un aspect plus réaliste à la peau.*

▼ **3.** *Les derniers contrastes permettent de compléter la définition de la texture de la peau. Utilisez une couleur terre de Sienne très pure pour délimiter les zones les plus foncées du visage. Comme vous pouvez le constater, les reflets n'ont pas été touchés depuis le début, bien que les nombreux glacis appliqués aient permis de délimiter d'autres zones lumineuses.*

pas à pas

Portrait d'un homme âgé

L'apprentissage de l'exécution de la texture de la peau, de sa couleur et des reflets de lumière sur le visage est fondé sur une pratique continue qui n'exclut pas la possibilité de copier les œuvres d'artistes reconnus. Si de plus, comme dans ce cas, le peintre peut disposer du modèle et des étapes suivies par l'artiste pour la réalisation du tableau, l'apprentissage est plus que garanti. Nous avons choisi de peindre le portrait d'un homme âgé en contre-jour. Son visage, ses traits, la texture de sa peau et l'incidence de la lumière en font un sujet parfaitement adapté à l'exercice que nous vous proposons.

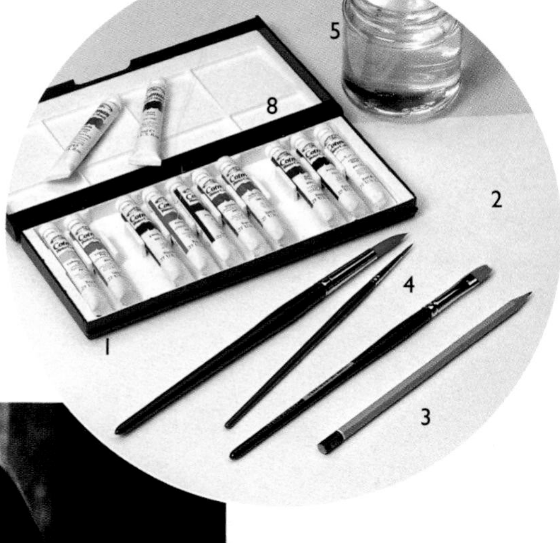

MATÉRIEL NÉCESSAIRE

Aquarelles (1), papier à aquarelle couché (2), crayon à papier (3), pinceaux à aquarelle (4) et récipient rempli d'eau (5).

1. *Cette première étape requiert un grand effort de représentation de la part de l'aquarelliste (si le dessin vous semple trop compliqué, vous pouvez recourir à l'emploi d'une copie au calque). Dans le cas de cet exemple, une simple esquisse ne suffit pas ; pour que le traitement à la couleur se fonde sur une structure parfaitement définie, il convient d'exécuter un dessin complet. Définissez parfaitement les traits du visage et schématisez les zones de lumière et les principales rides à l'aide d'un tracé net, exempt de zones grisées et de taches.*

2. *Lorsque le dessin du visage est parfaitement défini, appliquez la couleur de base de la peau. Celle-ci s'obtient en mélangeant de l'orange, de l'ocre et de la terre de Sienne sur la palette. Appliquez ce mélange sur le fond sec et assez rapidement, afin d'éviter l'apparition de traces de transition au séchage. Peignez toute la surface du visage sans superposer les coups de pinceau et en réservant les principaux reflets. Peignez ensuite les cheveux avec un gris de Payne.*

Il convient que l'esquisse d'un portrait soit suffisamment complète et contienne tous les éléments qui permettront de définir parfaitement les traits du visage afin de faciliter l'exécution du tableau. S'agissant de portraits, il est essentiel que le résultat final et le modèle présentent une grande ressemblance.

3. *Avant que la couleur de base ait eu le temps de sécher complètement, peignez les premiers contrastes avec de la terre de Sienne brûlée. Rehaussez uniquement les contrastes dans les zones les plus foncées du visage. La couleur de base de la peau est fondamentale pour les applications de couleur suivantes. Avec la couleur que vous avez employée pour assombrir le nez, peignez avec précision les rides des sourcils, le menton et la lèvre supérieure. Les reflets acquièrent une plus grande intensité en raison du contraste créé par ces premiers tons foncés.*

4. *Attendez que le fond soit totalement sec ; vous pourrez ainsi superposer des couleurs sans qu'elles se mélangent avec la couche initiale. Assombrissez la partie droite du visage à l'aide d'un lavis gris très lumineux. Cette phase est particulièrement délicate ; commencez par le front, en réservant les zones de lumière. En même temps que vous appliquez ce lavis gris sur cette partie du visage, délimitez la zone éclairée qui définit la partie supérieure du sourcil et la pommette. Tracez les rides du front avec la même couleur, à coups de pinceau délicats et rapides. Attendez que le fond gris soit sec pour peindre les rides du menton et du visage ; vous éviterez ainsi que les couleurs se mélangent.*

5. Attendez que le fond soit sec avant de commencer le travail relatif à la texture de la peau. Le papier possédant un grammage élevé, il vous sera possible de réaliser des fondus et des lavis sur les couches précédentes sans que la qualité du support en souffre. Assombrissez les zones foncées de la peau avec de la terre de Sienne brûlée et renforcez les ombres dans les zones du sourcil, de l'œil et de la pommette. Retouchez les taches de couleur qui suggèrent les rides de façon à les atténuer et à les étirer. L'ombre de la pommette possède une forme triangulaire et s'atténue peu à peu en direction de la bouche.

6. Préparez un lavis à base de terre de Sienne brûlée et de terre d'ombre ; utilisez-le pour contraster les principales rides du visage, en réservant les parties les plus lumineuses. La couleur orangée que vous avez appliquée au début respire au travers des transparences des différentes couleurs sur toute la surface du visage. Dans certains endroits, cette couleur de base est couverte par le lavis, alors que dans d'autres zones, elle est intacte. Les principaux points de lumière sont réservés depuis le début du travail. Assombrissez tout le côté droit du visage et l'ombre de la lèvre pour accentuer le volume de l'ensemble. Tracez les rides du front à coups de pinceau très fins.

7. *Peignez l'oreille, qui est définie à partir de l'ombre qu'elle projette. Assombrissez les rides du front pour augmenter le volume de cette partie du visage. La couleur du fond reste la partie lumineuse de ces rides. Assombrissez le sourcil droit à l'aide d'un coup de pinceau très rapide et spontané. Complétez la forme de la lèvre inférieure avec un carmin très dilué et une petite quantité de terre de Sienne. Il ne vous reste plus qu'à appliquer un glacis très transparent sur le fond pour terminer ce laborieux travail sur la texture de la peau. Il s'agit d'un exercice complexe, mais qui permet d'aborder de nombreux concepts qui s'avéreront sans aucun doute très utiles pour les travaux ultérieurs.*

SCHÉMA - RÉSUMÉ

La partie foncée de l'ombre est transparente et délimite la forme du visage. Il est possible de fondre les tons sur le fond totalement sec lorsque l'on travaille sur un papier adéquat.

Le dessin initial doit être parfaitement défini avant de commencer à envisager la couleur. La couleur de la peau n'est pas uniforme, elle dépend en grande partie des tons qui l'entourent.

La première application de couleur s'effectue à l'aide d'un lavis orangé qui sert de base aux couches ultérieures.

Dans le cas d'un portrait, **la couleur des vêtements** ne doit pas être fidèle à la réalité ; elle doit être adaptée à l'ensemble et faire ressortir le visage.

THÈME

17 Animaux

STRUCTURE DE BASE ET DESSIN

La peinture animalière à l'aquarelle est un thème complexe, mais après acquisition de la pratique nécessaire, cette barrière se convertit en un stimulant pour tout artiste qui se respecte. L'aquarelliste doit toujours réaliser un dessin initial, quel que soit le thème traité, mais dans le cas des sujets qui requièrent une étude anatomique, le dessin n'est plus une ressource complémentaire comme cela peut être le cas pour les paysages, il devient une nécessité. Les proportions, les dimensions, les ombres et les lumières doivent être étudiées avant de commencer à peindre. La peinture animalière étant, sans aucun doute, l'un des thèmes les plus attractifs pour le peintre amateur, prêtez une attention particulière à ces pages.

La première question devant être solutionnée par le peintre avant qu'il essaie de résoudre un sujet animalier, quel qu'il soit, est l'étude de l'anatomie de l'animal concerné. Une simple esquisse au crayon à papier ou au fusain suffit, mais cette phase préalable est indispensable. L'étude de chacune des parties du corps de l'animal permet de préciser les ombres ainsi que les autres éléments du volume avant de commencer à peindre à l'aquarelle.

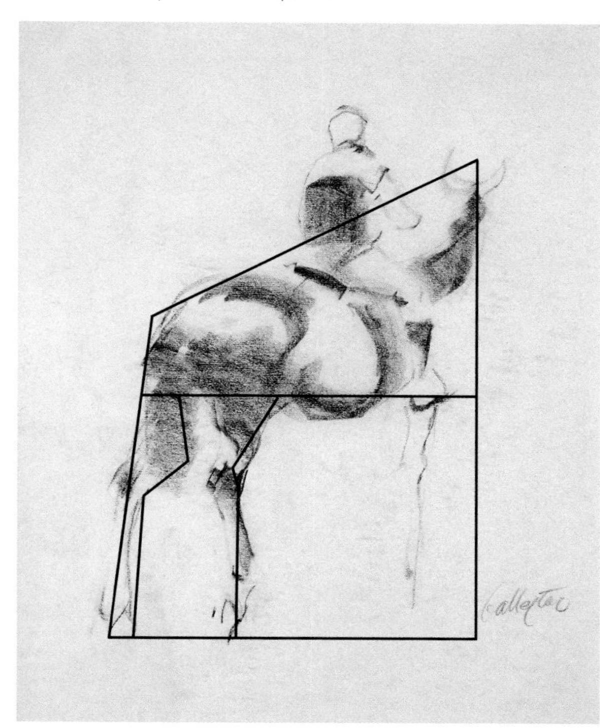

La structure de n'importe quel animal doit pouvoir être synthétisée à l'aide de formes géométriques très simples pendant la phase préalable. Ces formes peuvent être obtenues à partir de n'importe quel modèle. Prenons l'exemple de cette ébauche de cheval : les lignes tracées définissent la forme de l'animal. Le schéma a ensuite été divisé pour délimiter l'endroit où commencent les pattes ; ce type d'indication est très utile quel que soit l'animal car ces lignes élémentaires facilitent la compréhension de n'importe quelle forme, quel que soit son degré de complexité.

Essayez de copier ces ébauches à partir de schémas linéaires simples. Schématisez tout d'abord la forme externe, puis la structure interne ; reliez ensuite les lignes pour définir les zones de contraste. Pour mieux comprendre le fonctionnement de ces lignes, vous pouvez copier ce schéma sur un papier calque, puis le reporter sur le papier sur lequel vous allez peindre et utiliser ce report pour compléter la forme de l'animal. Nous vous recommandons de réaliser cet exercice à partir des ébauches fournies ici, mais aussi à partir de photographies d'animaux.

APPLICATION DE LA COULEUR

Vous ne pouvez commencer à vous exercer à la couleur que lorsque le dessin est parfaitement défini. La meilleure méthode d'apprentissage est la pratique. Nous vous montrons ici des œuvres terminées qui pourront vous servir de modèles pour de futurs travaux. Les techniques qui ont été employées pour la réalisation de ces exemples sont identiques à celles que vous avez utilisées pour réaliser les paysages et les natures mortes des thèmes précédents, avec une seule différence : l'application du trait.

▼ *Bien qu'il soit complexe, ce sujet possède une structure très simple. En l'observant avec attention, vous remarquerez que la forme du chien s'intègre parfaitement dans une ellipse presque parfaite. Les pattes sont cachées, ce qui facilite d'autant plus le dessin initial. Le dessin étant résolu, la première application de couleur doit être très ténue ; peignez les gris les plus lumineux qui, comme vous le voyez, délimitent les blancs les plus purs provenant de la couleur du papier. Lorsque le glacis initial est sec, définissez la tête du chien à l'aide de taches de terre de Sienne et de terre d'ombre brûlée.*

▼ *Comme vous pouvez le constater, la pose de ce coq est différente de la précédente, mais le schéma initial est le même. Notez que les touches de couleur rouge appliquées sur l'aile se superposent à un lavis initial de couleur orangée.*

▼ *Le schéma superposé au modèle démontre qu'il est très facile de structurer l'anatomie de cet animal. Elle est basée sur une ellipse pour le corps et sur une forme triangulaire pour l'ensemble formé par le cou et la tête. Le dessin étant terminé, appliquez un lavis très lumineux de couleur ocre et terre d'ombre pour obtenir les tons les plus clairs du poitrail du coq. Les premiers lavis ne traitent pas la texture des plumes ; vous les peindrez à l'aide de traits foncés très séparés. Faites attention aux blancs, qui doivent rester en réserve.*

LA TEXTURE DU POIL

Après avoir appris à esquisser la forme de différents animaux, nous vous recommandons de réaliser cet exercice, qui vous sera utile pour bien d'autres applications. Il consiste à représenter la tête d'un chien. Lorsque vous aurez compris la structure de base de cet animal, l'une des questions les plus importantes à résoudre sera la texture du poil et de la peau. Tenez également compte de l'utilisation continue de la technique de la réserve.

◀ 1. *Ne commencez pas à peindre avant d'avoir parfaitement défini le dessin ; l'aquarelle se base sur la transparence et les corrections doivent être minimes. Humidifiez tout d'abord le fond à l'aide d'un pinceau que vous aurez mouillé dans de l'eau propre, en délimitant la forme de la tête pour que la couleur ne pénètre pas à l'intérieur de ses contours. L'humidité du papier provoquera l'expansion de la couleur.*

▼ 2. *Profitez du fait que le fond est encore humide pour appliquer des tonalités de couleur qui fusionneront avec celles qui ont déjà été peintes. Au fur et à mesure que le fond sèche, vous pourrez appliquer des coups de pinceau et des taches de couleur beaucoup plus précises. Commencez à peindre la zone des yeux avec une couleur terre de Sienne et le pelage avec un brun très clair. L'application de tons sur fond sec permet de réserver des blancs.*

▼ 3. *Les zones qui correspondent aux parties les plus lumineuses du pelage ne doivent pas être peintes ; la couleur blanche du papier restera ainsi toujours visible. À côté de ces zones blanches et sur fond sec, appliquez la couleur à l'aide d'un pinceau très égoutté, presque sec. Préparez un lavis orangé et donnez quelques coups de pinceau sur l'oreille et sur le front du chien, à l'aide d'un pinceau presque sec.*

ZONES DE COULEUR, LUMIÈRE ET OMBRES

La peinture animalière peut présenter toute la complexité que le peintre amateur est susceptible d'extraire de ses capacités techniques, bien que, très souvent, le succès d'un tableau ne réside pas dans la difficulté, au contraire. La synthèse des formes, c'est-à-dire l'expression résumée de celles-ci, facilite grandement l'obtention d'une étude vigoureuse et pleine de réalisme. Nous vous proposons ici un exemple simple qui consiste à peindre une perruche. Faites attention aux réserves, à la couleur et au rendu de chacune des zones de lumière.

▶ 1. *Concentrez-vous tout d'abord sur l'exécution du schéma initial de l'anatomie de l'animal. Ce dessin est simple ; il est fondé sur deux formes arrondies qui doivent être placées de façon appropriée. Observez ce schéma avec attention : vous remarquerez que le corps possède une forme ovoïde et que la tête est presque entièrement sphérique. Le schéma initial étant résolu, unissez les lignes pour compléter la description de l'anatomie de l'animal.*

▼ **2.** *Les blancs purs doivent être réservés dès le début du processus de peinture. La couleur principale est le bleu ; utilisez un ton transparent pour situer chacune des zones de lumière et d'ombre. C'est lors de cette phase que vous vous rendrez compte du caractère indispensable du dessin car sans lui, il vous serait impossible de déterminer l'emplacement des réserves. Peignez ensuite les tons plus foncés. Peignez les traits de la tête et de l'aile sur fond sec.*

▼ **3.** *C'est seulement après avoir peint toute la perruche que vous pourrez appliquer les contrastes qui vous permettront de terminer le tableau. Dans ce cas, les ombres se définissent en augmentant l'intensité des tons utilisés ; observez le bleu sous la queue. L'application des derniers détails permet de contraster les différentes parties de l'animal. Dans le cas de cet exercice, il convient de contraster le fond pour que les blancs de l'oiseau acquièrent la brillance nécessaire.*

pas à pas

Couple de perruches

Les animaux les plus faciles à peindre et à dessiner sont les oiseaux. Cela est dû à leur morphologie fusiforme et à l'absence de structure complexe. Les oiseaux sont aussi des modèles faciles à trouver : chez vous, dans n'importe quelle oisellerie ou dans un jardin zoologique, sur des photographies extraites de revues ou de livres, etc. Les modèles que nous allons utiliser ont été photographiés dans une oisellerie. La photographie est l'une des ressources les plus employées, surtout lorsqu'il s'agit de peindre des animaux très remuants.

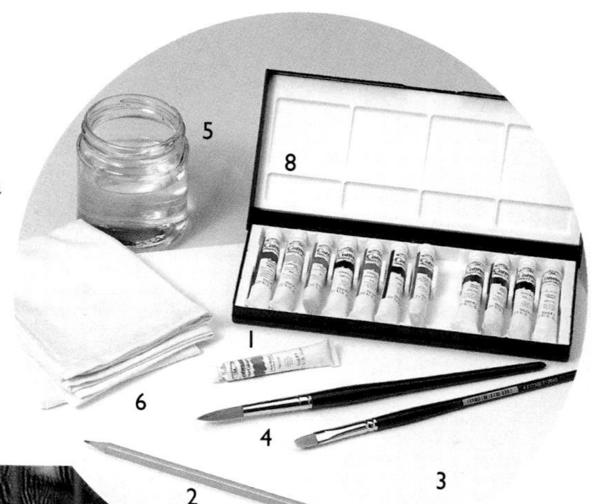

MATÉRIEL NÉCESSAIRE

Couleurs en tube (1), crayon à papier (2), papier à aquarelle (3), pinceaux à aquarelle (4), récipient rempli d'eau (5) et chiffon (6).

1. *Comme nous l'avons vu tout au long de ce thème, il est extrêmement important de réaliser un dessin qui soit le plus parfait possible avant de commencer à peindre. Ce que nous entendons ici par « parfait » se réfère à la synthèse des lignes et des formes. La couleur doit trouver dans le tracé la référence exacte qui permettra d'éviter que les différentes zones puissent être confondues. Dessinez tout d'abord la perruche qui se trouve à gauche ; l'animal entier possède une forme presque ovale. Corrigez la forme du dos à l'aide d'une ligne droite allant de la tête à la queue et repérez les emplacements du bec et de l'œil sur la tête.*

2. *Lorsque vous avez terminé l'esquisse de la première perruche, dessinez la seconde. Elle possède une forme ovale et sa tête est presque ronde. Ces formes très simples vous permettront de travailler très rapidement et agréablement car les corrections que vous aurez à effectuer seront minimes. Le dessin étant terminé, commencez à peindre la perruche qui se trouve à gauche. Appliquez tout d'abord un jaune d'or en réservant la zone la plus lumineuse du poitrail ; peignez celle-ci avec un vert très lumineux qui coupera la ligne du poitrail ; ce ton se fondra avec le précédent et vous permettra de modeler la forme du corps. Appliquez une touche de couleur foncée dans la partie la plus sombre de la perruche ; le fond étant encore humide, les couleurs fusionnent très facilement.*

3. *Pendant que la couleur appliquée sur la première perruche sèche, commencez à peindre la seconde. Ne touchez pas les zones humides du papier avec votre pinceau sous peine de voir les couleurs se mélanger. Pour peindre la perruche qui se trouve à droite, préparez un lavis très lumineux à base de bleu de cobalt et d'outremer ; employez la même couleur, mais plus transparente, pour peindre la queue de cet oiseau d'un seul trait de pinceau.*

4. *Peignez alternativement les deux perruches de façon que le processus de séchage de chaque application n'interrompe pas votre travail à l'aquarelle. Si le modèle ne comportait qu'un animal, chaque fois que vous auriez à appliquer une couleur sur fond sec, vous seriez dans l'obligation d'attendre que la couche inférieure sèche. Avec le ton que vous avez employé pour peindre la partie antérieure du corps, peignez la zone postérieure de la tête et la partie foncée qui délimite l'aile. Commencez ensuite à tracer de petits traits de couleur noire sur la partie postérieure de l'aile pour représenter les petites taches qui caractérisent la texture du plumage.*

5. *Pour éviter que les taches foncées se mélangent au ton appliqué précédemment, laissez sécher la zone correspondant au plumage avant de continuer à peindre la perruche qui se trouve à gauche. Profitez de cette pause pour vous consacrer à la seconde perruche. Appliquez un glacis brun très transparent sur la tête ; ce ton délimite la zone lumineuse qui se trouve dans la partie supérieure et qui se transforme en un blanc franc en raison du contraste. Profitez du fait que cette zone est encore humide pour peindre de très petites taches à la base du cou. Cette couleur, que vous devez appliquer avec la pointe du pinceau, se fond avec le ton précédent au niveau de ses contours.*

6. *Réalisez la totalité du tracé de la partie postérieure de la perruche qui se trouve à gauche ; comme vous pouvez le constater, les lignes sont arrondies et aident à suggérer le volume de l'oiseau.*

Si le modèle ne comportait qu'un animal, vous seriez dans l'obligation d'interrompre votre travail chaque fois que vous auriez à appliquer une couleur sur fond sec.

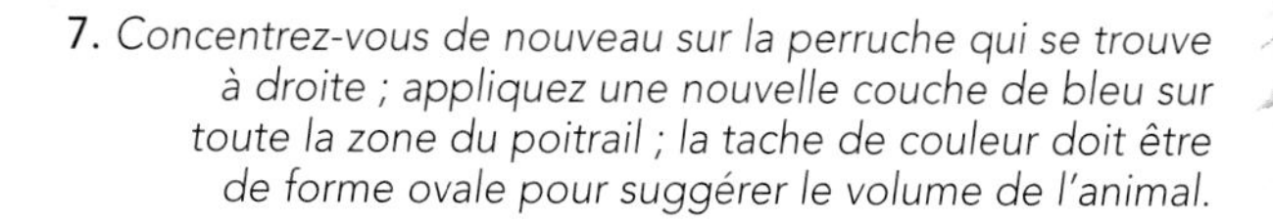

7. *Concentrez-vous de nouveau sur la perruche qui se trouve à droite ; appliquez une nouvelle couche de bleu sur toute la zone du poitrail ; la tache de couleur doit être de forme ovale pour suggérer le volume de l'animal.*

8. *Ce travail peut être réalisé très rapidement, d'une part en raison de la simplicité des formes des deux perruches, et d'autre part, parce qu'il vous offre la possibilité de ne pas interrompre votre travail pour laisser sécher certaines zones lorsque cela est nécessaire puisque vous pouvez peindre alternativement les deux animaux. Il ne vous reste plus qu'à contraster les becs, sans empiéter sur les réserves correspondant aux reflets, et à peindre soigneusement les yeux des deux oiseaux.*

SCHÉMA - RÉSUMÉ

La couche initiale appliquée sur la perruche qui se trouve à gauche est jaune ; le vert doit être peint avant que cette première couleur soit sèche.

Les queues des oiseaux sont tout d'abord peintes d'un seul trait ; les contrastes nécessaires sont appliqués plus tard.

La tête de l'oiseau qui se trouve à droite doit être réservée à l'aide d'un lavis très transparent sur lequel seront appliquées les petites taches du cou.

De multiples taches de couleur noire sont peintes sur **le dos de la perruche qui se trouve à gauche ;** elles viennent compléter la texture caractéristique de son plumage.

Comment peignait

Joseph Mallord William Turner

(Londres 1775 - Londres, Chelsea 1851)

Place Saint-Marc

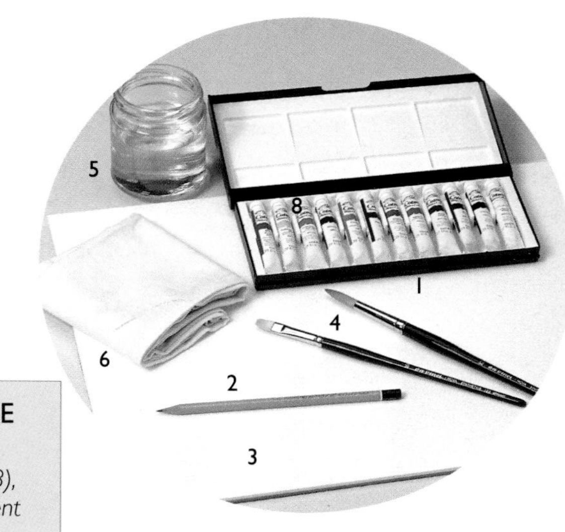

Ce peintre anglais, essentiellement connu pour ses paysages et ses marines, débuta par la peinture à l'aquarelle avant de se consacrer à l'huile. Un voyage en Italie (1819) marquera pour lui le début d'une période caractérisée par les lumières et les couleurs très intenses et très vives. Plus tard, il recherchera la lumière pour elle-même, comme cela est visible sur ses représentations, très oniriques, de la ville de Venise. Son œuvre, d'un grand romantisme, constitue un précédent de l'impressionnisme.

MATÉRIEL NÉCESSAIRE

Couleurs en tube (1), crayon à papier (2), papier à aquarelle (3), pinceaux à aquarelle (4), récipient rempli d'eau (5) et chiffon (6).

La représentation de cette œuvre, qui ne prétend pas être une copie exacte de l'original, va nous permettre d'étudier quelques-unes des techniques qui étaient couramment utilisées par Turner et qui, bien entendu, ont été développées dans les thèmes précédents relatifs à l'aquarelle. Les techniques employées par Turner n'étaient pas complexes, mais étaient appliquées avec précision et un grand soin dans chacune des zones du tableau. La peinture sur fond humide donne aux couleurs et aux formes un caractère évident de fusion ; les caractéristiques de cette fusion dépendent du taux d'humidité de la peinture appliquée sur le papier. Turner maîtrisait les temps de séchage à la perfection, et c'est ce que nous vous proposons de faire au cours de cet exercice. Avant de commencer, observez attentivement le modèle que vous allez représenter. Tentez de deviner quelles zones ont été peintes en premier lieu et quelles techniques ont été employées.

1. *Il est très important de partir d'un bon dessin car le travail que vous réaliserez ensuite dépendra de cette première partie du processus. Il n'est pas nécessaire que le dessin soit exactement identique au modèle, mais ses éléments doivent posséder des proportions similaires. Vérifiez également si vous avez respecté l'inclinaison des lignes. Comparez par exemple, sur le dessin ci-dessus, la perspective de la partie supérieure du bâtiment qui se trouve sur la droite avec celle du modèle. Vous remarquerez que celle du dessin est moins inclinée. C'est ce type d'erreur qu'il vous faudra corriger.*

2. *Si vous observez attentivement le modèle, vous remarquerez l'absence totale de blancs. Les tonalités les plus claires qui les remplacent correspondent à une couleur jaunâtre, qui provient du glacis initial. Mélangez de l'ocre et du jaune, de façon à obtenir une couleur jaunâtre très transparente, et appliquez-la sur toute la zone qui correspond aux bâtiments ; ne peignez pas le ciel. Comment peut-on savoir que Turner n'a pas appliqué de glacis jaunâtre sur le ciel ? C'est très simple : le bleu du ciel aurait viré au vert et ce n'est pas le cas.*

Il convient d'être particulièrement attentif aux effets chromatiques provoqués par la superposition des couleurs.

3. *Appliquez un lavis orangé sur la partie droite du tableau. Cette couche se fond avec la couleur peinte précédemment, mais cela n'a pas d'importance, vous pourrez corriger cet effet plus tard. Au vu de la tonalité terreuse que possède le ciel dans certains endroits, Turner a également obtenu ce genre d'effet. Vous remarquerez que le ciel n'a pas été peint en une seule fois, mais qu'il a été réalisé à l'aide de plusieurs couches, qui permettent même de deviner les coups de pinceau. Ajoutez une petite quantité de terre d'ombre au bleu foncé de façon à obtenir un lavis très clair, et appliquez-le sur le ciel ; faites en sorte que les coups de pinceau soient visibles. Turner a effectué une correction sur le côté gauche ; faites de même en absorbant l'excès de couleur à l'aide d'un chiffon propre et sec.*

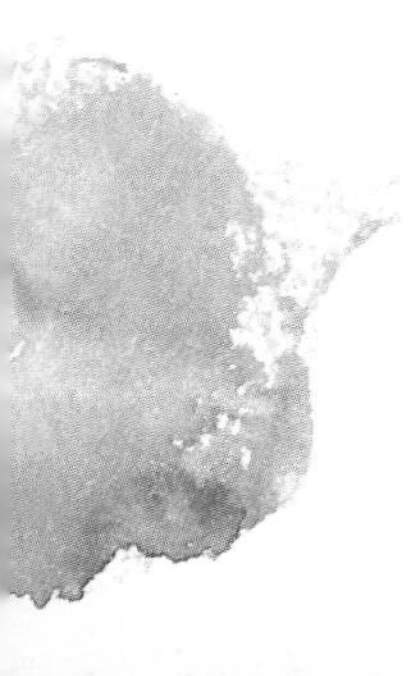

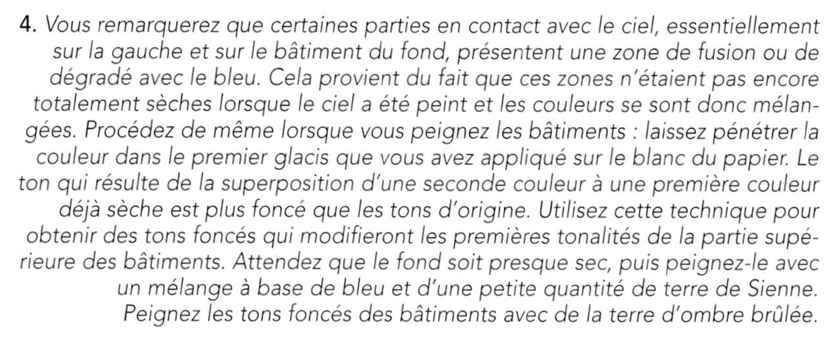

4. *Vous remarquerez que certaines parties en contact avec le ciel, essentiellement sur la gauche et sur le bâtiment du fond, présentent une zone de fusion ou de dégradé avec le bleu. Cela provient du fait que ces zones n'étaient pas encore totalement sèches lorsque le ciel a été peint et les couleurs se sont donc mélangées. Procédez de même lorsque vous peignez les bâtiments : laissez pénétrer la couleur dans le premier glacis que vous avez appliqué sur le blanc du papier. Le ton qui résulte de la superposition d'une seconde couleur à une première couleur déjà sèche est plus foncé que les tons d'origine. Utilisez cette technique pour obtenir des tons foncés qui modifieront les premières tonalités de la partie supérieure des bâtiments. Attendez que le fond soit presque sec, puis peignez-le avec un mélange à base de bleu et d'une petite quantité de terre de Sienne. Peignez les tons foncés des bâtiments avec de la terre d'ombre brûlée.*

6. *Comme vous pouvez le remarquer sur le modèle, le travail de dessin se prolonge au-delà de l'exécution de l'esquisse initiale. Les lignes qui définissent les reliefs des bâtiments doivent être tracées au pinceau, après application des premières couches de couleur. Les ornements des bâtiments se peignent de la même façon. Le tracé doit être précis et exempt de taches et d'écoulements de couleur. Tracez ces lignes avec une terre de Sienne assez transparente ; elle ne doit pas masquer totalement la couche inférieure mais doit néanmoins vous permettre d'obtenir un tracé contrasté.*

5. *Attendez que le fond et les différents apports de couleur réalisés antérieurement soient parfaitement secs avant de continuer à peindre. Préparez un lavis à base de bleu et d'une petite quantité de terre de Sienne et appliquez-le sur le fond, à coups de pinceau verticaux. Cette nouvelle couche de couleur permet d'affiner la définition des formes des bâtiments. Préparez ensuite un glacis très transparent à base de terre de Sienne brûlée à laquelle vous aurez ajouté une touche de bleu et appliquez ce mélange sur les ombres des bâtiments du fond ; le fond de couleur altérera sensiblement la tonalité foncée de ce glacis.*

Les valeurs des couleurs superposées s'ajoutent lorsque les couches inférieures sont sèches.

7. *Le tracé réalisé sur les premières couches de couleur diluée permet de définir les bâtiments de façon précise car il décrit parfaitement les corniches, les nuances des pans de murs et l'arc de l'entrée qui se trouve sur la gauche. Veillez néanmoins à ce que la couleur soit suffisamment diluée sur votre palette pour que ce tracé n'acquière pas une présence trop marquée. Prêtez une attention particulière au processus de séchage de chaque ton ; vous remarquerez que lorsqu'une couleur est totalement sèche, sa tonalité diminue.*

8. *La définition des détails augmente avec la progression du tracé des lignes qui déterminent leurs formes sur le tableau. Tracez tout d'abord les lignes principales des corniches de la tour, puis les détails des ornements. Passez ensuite à la partie droite du tableau. Avec une couleur orangée, peignez un entrecroisement de traits en forme de grille ; laissez les tons se fondre entre eux. Avec une tonalité légèrement plus foncée que celle que vous avez utilisée jusqu'à présent, réaffirmez le dessin de la fenêtre qui se trouve à gauche et les contrastes de la colonnade. Appliquez des taches de couleur carmin dans la zone inférieure droite. Passez à l'étape suivante avant que les couleurs sèchent totalement.*

Lorsque vous appliquez une couleur sur une couche encore humide, les couleurs fusionnent.

9. *Appliquez une tache de terre d'ombre brûlée autour du carmin et faites en sorte que les deux couleurs se fondent. Peignez les traits verticaux qui ornent la tour et rehaussez le contraste de l'entrée du bâtiment située sur la droite. Il ne vous reste plus qu'à appliquer une petite touche de couleur dans la zone inférieure de l'ombre et à nuancer les zones dont vous souhaitez modifier le contraste. Bien que notre but n'ait pas été de réaliser une copie exacte de l'œuvre, mais plutôt d'expérimenter les techniques employées par Turner, le résultat obtenu est très fidèle à l'original. Les différences de tracé entre les deux tableaux peuvent être dues à la capacité d'absorption du papier ou au temps considéré pour le séchage des couches humides. Mis à part cet aspect, les deux tableaux présentent plus de similitudes que de différences ; néanmoins, il est évident que le geste de l'artiste est important, car le coup de pinceau et la façon d'interpréter dépendent exclusivement du peintre.*

SCHÉMA - RÉSUMÉ

Le schéma initial doit être réalisé au crayon à papier ; il permet de synthétiser les formes des bâtiments.

Un premier lavis presque transparent de couleur jaune couvre l'ensemble du paysage urbain ; il servira de fond aux couleurs plus foncées.

La couleur du fond respire dans la partie supérieure de la tour.

Le ciel s'obtient grâce à plusieurs couches de couleur bleue : le ton s'assombrit au fil des applications.

Les fenêtres du bâtiment du fond sont suggérées sur le fond presque humide.

Comment peignait

Henri Marie de Toulouse-Lautrec

(Albi 1864 - Malromé 1901)

La belle Hélène

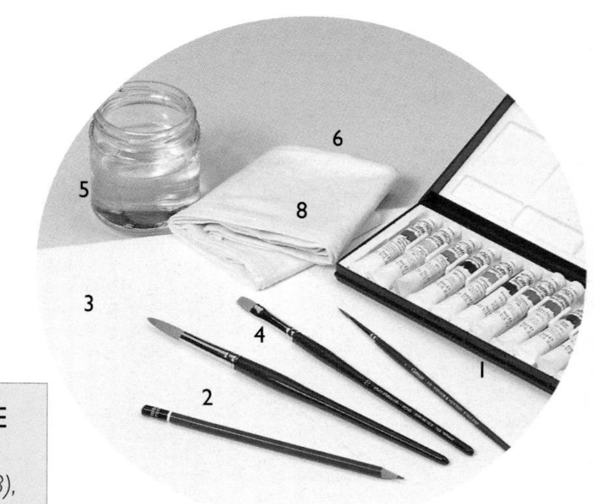

Suite à deux accidents survenus au cours de son adolescence et qui marquèrent toute sa vie, cet artiste resta estropié. Il vécut à Paris où, influencé par Bonnat et E. Degas, il mena une vie de bohème. Il fréquenta les cafés, les théâtres, les music-halls, les maisons de tolérance, etc., dont les visions et les personnages inspirèrent une grande partie de son œuvre. Ces tableaux, au dessin parfait, se caractérisent par la spontanéité du trait, ainsi que l'expression et la souplesse du mouvement.

MATÉRIEL NÉCESSAIRE

Couleurs en tube (1), crayon à papier (2), papier à aquarelle (3), pinceaux à aquarelle (4), récipient rempli d'eau (5) et chiffon (6).

Cette aquarelle vous permettra de vérifier que la simplicité peut être un bon argument de travail. Nous vous proposons ici de vous exercer à l'une des ressources les plus difficiles à maîtriser, bien qu'elle puisse aussi s'avérer être l'une des plus faciles : savoir décider du moment exact auquel un tableau doit être considéré comme étant terminé. Les peintres amateurs dont l'expérience est assez limitée sont souvent désespérés lorsqu'ils constatent que le tableau qu'ils étaient en train de peindre et qui leur semblait évoluer dans le bon sens, s'est peu à peu saturé au point d'être pratiquement irrécupérable. Le secret de la réussite d'un tableau réside en grande partie dans le fait de savoir l'interrompre à temps, c'est-à-dire de savoir ne pas peindre plus qu'il n'est nécessaire.

Outre la pratique de la synthèse des formes et de l'application de la couleur, vous étudierez ici la façon dont les glacis les plus transparents réagissent sur le blanc du papier et vous exercerez à la superposition de coups de pinceau destinés à fusionner avec le fond.

PAS À PAS : *La belle Hélène* - Henri Marie de Toulouse-Lautrec

1. *Bien qu'il soit possible de commencer directement à l'aquarelle, comme nous l'avons déjà fait à plusieurs reprises, cela n'est pas conseillé dans le cas présent, dans lequel les couleurs devront être d'une transparence extrême, car certaines zones devront rester en réserve par rapport à d'autres parties légèrement plus foncées. Il est important que le dessin soit bien défini avant de commencer à peindre et il est également fondamental que les traits soient extrêmement propres car, étant donné la transparence des couleurs, toute ligne de crayon mal située sera visible.*

2. *Le dessin étant terminé, appliquez de façon homogène une couche de couleur très transparente sur toute la surface du tableau. Cette couleur, jaunâtre, s'obtient en mélangeant de l'ocre et du jaune. Malgré sa grande transparence, ce premier glacis modifie la luminosité du papier ; les couleurs que vous appliquerez plus tard seront affectées par ce ton de base. Laissez sécher cette couche avant de continuer à peindre ; dans le cas contraire, tout ajout de couleur sur le fond humide provoquera une fusion des tons, ce qui n'est pas le but recherché.*

Le dessin initial est l'une des étapes fondamentales de tout travail à l'aquarelle. Il représente une structure indispensable au développement ultérieur du tableau.

3. *La couleur du fond étant sèche, appliquez la première base concrète de couleur, c'est-à-dire celle qui correspond à la première couche des cheveux. La femme est blonde ; cette couleur est fondée sur un jaune lumineux, mais beaucoup moins transparent que celui du fond. Observez la différence entre l'application d'une couche générale (sur le fond) et celle d'une couleur beaucoup plus concrète telle que le jaune que vous allez appliquer. La couleur ne doit pas posséder une intensité identique sur toute la surface des cheveux ; elle doit présenter des qualités et des degrés de transparence variés, et laisser le fond du papier respirer totalement dans certaines zones.*

4. *Peignez la zone supérieure de la frange avec un rouge de cadmium et appliquez quelques coups de pinceau de terre d'ombre brûlée sur la partie postérieure de la tête. Le fond de cette zone étant sec, ces taches de couleur laissent entrevoir quelques zones de réserve de jaune. Laissez sécher le tableau, puis appliquez un nouveau lavis autour du visage pour différencier la couleur de la peau de celle du fond. Peignez les traits du visage avec un ton terre de Sienne transparent ; procédez avec soin pour éviter que les taches de couleur se mélangent. Peignez la robe avec un lavis très transparent de couleur rouge, en réservant la zone la plus lumineuse. Les étapes suivantes doivent être réalisées très rapidement pour éviter que la transition entre la robe et le fond soit trop visible lors de leur fusion.*

5. *Les cheveux et le visage, et plus particulièrement les réserves de blanc de celui-ci, sont les zones qui renferment la plus grande complexité. Il est important que les tonalités de couleur terre de Sienne que vous avez peintes précédemment et la couleur du sourcil soient parfaitement sèches, car dans le cas contraire, les diverses couches se mélangeront. Peignez les ombres du visage avec une terre de Sienne transparente et laissez les parties les plus lumineuses en blanc. Lorsque cette couleur est sèche, peignez les cils. Continuez à peindre les cheveux à l'aide de divers apports de terre de Sienne et d'orange.*

6. *Passez un pinceau légèrement humide sur la robe jusqu'à ce que la zone la plus claire se fonde avec le ton qui l'entoure. Profitez du fait que la partie correspondant à la robe est humide pour y ajouter une nouvelle tonalité plus rougeâtre et plus dense. Commencez à l'appliquer dans la zone supérieure de la robe, au niveau des bretelles ; étant donné que le papier est humide, la couleur s'infiltre vers le bas et son intensité diminue.*

Il est important d'employer un papier de qualité car il est presque impossible de faire fusionner des tons sur un papier simple lorsque la couleur est sèche.

7. *Pendant que la zone qui correspond à la robe sèche, concentrez-vous de nouveau sur la chevelure. Cette zone est particulièrement délicate car l'effet à obtenir provient de l'application successive de plusieurs couches de couleur constituées de traits isolés et que celles-ci ne doivent pas fusionner si vous voulez obtenir le volume adéquat. Cependant, malgré le travail que représente l'application de ces traits de couleur sur les cheveux et le soin que cette opération requiert, cette zone ne présente pas de grande difficulté, à condition de respecter les temps de séchage des couches précédentes.*

En ce qui concerne les glacis des fonds, nous vous conseillons de commencer par des tons clairs que vous assombrirez progressivement par la suite, si nécessaire, par application successive de couches de couleur.

8. *Le bras et une grande partie de la poitrine et du visage sont restés en réserve pendant toute la session ; ces zones possèdent donc la couleur du premier glacis appliqué sur le blanc du papier. Renforcez les contours de la robe dans la zone de la poitrine ; utilisez pour ce faire un rouge auquel vous aurez ajouté une petite quantité de carmin. Avec un rouge de cadmium dilué, rehaussez le ton de la robe au niveau des contours du bras, sans empiéter sur celui-ci ; il sera ainsi parfaitement défini. Préparez de nouveau un glacis transparent de terre de Sienne et appliquez-le sur le fond ; il doit être un peu plus foncé sur la droite, de façon à accentuer le contraste avec la zone postérieure de la silhouette.*

9. Lorsque le fond est totalement sec, peignez les traits qui suggèrent la texture du tissu de la robe. Cette dernière étape requiert une grande maîtrise de la peinture et du pinceau car elle combine la peinture sur fond humide et les tracés plus définitifs. Utilisez du carmin et du rouge de cadmium pour peindre cette zone de la robe ; la couleur doit toujours être très transparente et il est indispensable de respecter les zones qui contiennent des reflets. Peignez les plis du tissu à coups de pinceau décidés et fermes. Ainsi se termine ce travail. Le résultat est fidèle à l'original, mais nous insistons sur le fait que la véritable finalité de cet exercice était essentiellement l'interprétation de la technique de ce peintre de génie.

SCHÉMA - RÉSUMÉ

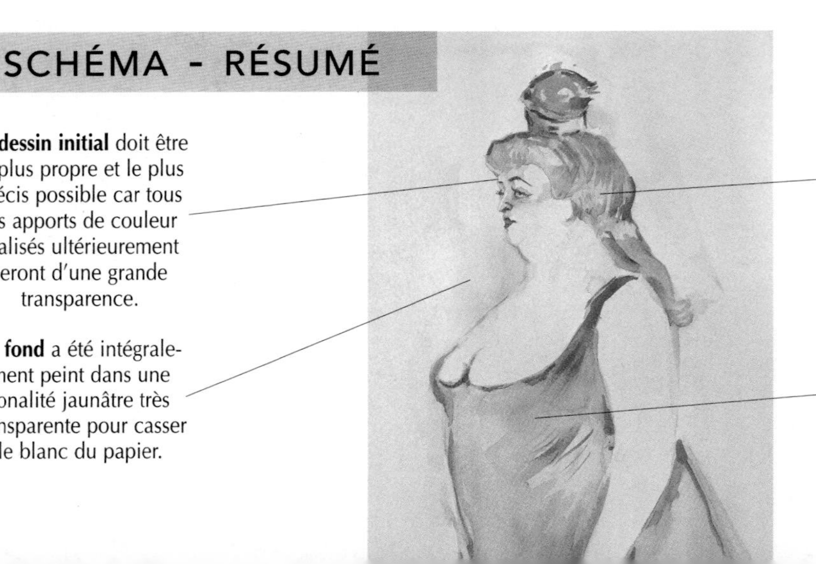

Le dessin initial doit être le plus propre et le plus précis possible car tous les apports de couleur réalisés ultérieurement seront d'une grande transparence.

Le fond a été intégralement peint dans une tonalité jaunâtre très transparente pour casser le blanc du papier.

La base de la couleur des cheveux est jaune ; des tons plus foncés ont ensuite été appliqués sur cette couleur, mais celle-ci respire dans différentes zones de réserve.

Plusieurs couches de couleur rouge et carmin ont été appliquées sur la zone de **la robe** ; les parties lumineuses ont été conservées en tant que réserves des couches inférieures.

Comment peignait

Marià Fortuny

(Reus ? - Rome 1874)

Maison andalouse

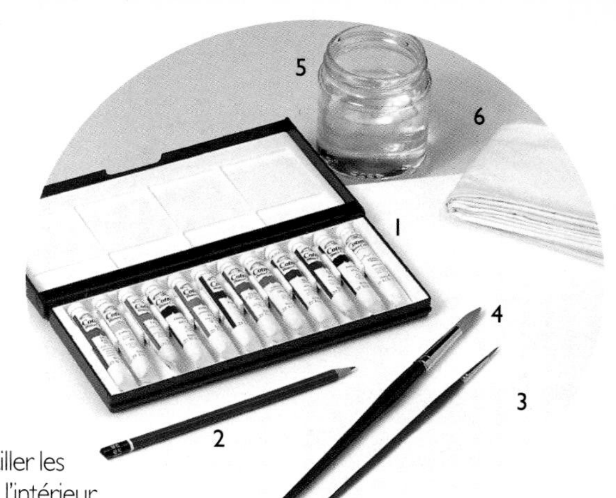

Certains de ses tableaux les plus conventionnels et ses eaux-fortes incluent des personnages d'une grande force, qui ne sont pas sans rappeler Goya, et des ressources chromatiques très originales. Les couleurs de ses œuvres sont très lumineuses, et si explosives que d'aucuns les ont rapprochées de l'impressionnisme, même si dans le cadre de l'art universel, ce peintre a été considéré comme l'un des pompiers les plus remarquables.

Ce thème vous permettra de travailler les blancs et les contrastes des ombres à l'intérieur de zones ou d'espaces délimités par les murs d'un bâtiment. Les modèles généralement choisis sont constitués de maisons rurales ou de villages présentant un aspect frais et propre ; Marià Fortuny n'a pas échappé à cette règle au moment de peindre cette magnifique aquarelle.

La complexité de cet exercice ne réside pas tant dans les techniques utilisées que dans le choix du moment auquel elles doivent être employées et dans le respect des temps de séchage de chacune des zones.

MATÉRIEL NÉCESSAIRE

Couleurs en tube (1), crayon à papier (2), papier à aquarelle (3), pinceaux à aquarelle (4), récipient rempli d'eau (5) et chiffon (6).

1. *Si le modèle présente une grande simplicité, c'est parce que Fortuny s'est basé sur une structure de dessin parfaitement définie ; c'est la seule façon qui permette d'appliquer chaque couleur à son emplacement précis. Le dessin doit être propre et doit définir chaque plan et les objets qui s'y trouvent, qu'il s'agisse de l'arbre, des plantes, des embrasures des portes ou des arcs et des fenêtres, grâce à une expression minimale du trait. Lorsque vous avez fini de dessiner la totalité du patio, appliquez un glacis ocre presque transparent dans la zone la plus éclairée pour casser le blanc excessif du papier.*

2. *Commencez à appliquer des taches de couleur dans la partie supérieure de l'ombre ; cette zone sera celle qui recevra le plus grand nombre de tonalités ; celles-ci devront toujours être très transparentes et placées avec soin pour délimiter et définir les zones plus lumineuses telles que la colonne du pan coupé qui se trouve sur la droite et les différences de tons entre le fond et la zone supérieure de ce mur assombri. Situez l'arbre à l'aide d'une tache transparente de couleur verte ; peignez ensuite la zone la plus sombre du patio, c'est-à-dire la partie qui se trouve sous l'arbre, avec de la terre d'ombre brûlée.*

3. *Peignez la zone d'ombre du patio avec de la terre d'ombre brûlée à laquelle vous aurez ajouté une touche de bleu pour refroidir le ton. Cette couleur va vous permettre de définir les principales zones de lumière du tableau ; l'application doit avoir lieu en une seule fois pour éviter que les transitions entre les coups de pinceau soient visibles. Vous avez jusqu'à présent respecté les temps de séchage des zones adjacentes à celles que vous avez peintes ; ici, vous allez devoir étirer une partie de cette tonalité vers le mur qui se trouve sur la droite, de façon qu'elle intervienne au niveau de la texture de ce mur.*

4. *Le fait que les taches de couleur respectent parfaitement le dessin au crayon vous permet non seulement de conférer la profondeur nécessaire à la courette, mais aussi de définir parfaitement la colonne, ainsi que le mur situé à gauche. Commencez à peindre les ombres de l'étage supérieur avec de la terre de Sienne ; prenez soin de respecter les réserves correspondant aux zones lumineuses car ce sont elles qui permettent de définir la balustrade.*

5. *Peignez les zones d'ombre les plus foncées de l'intérieur de la maison, c'est-à-dire les entrées des pièces qui se trouvent dans la zone d'ombre située à gauche. Peignez les plantes du patio avec un vert lumineux. Utilisez une intensité de couleur différente pour chacun des massifs.*

Chaque partie du tableau ne doit être peinte que lorsque les couleurs adjacentes sont totalement sèches ; cela est fondamental si vous voulez éviter que les tonalités de chaque zone se mélangent.

6. *Peignez les tons foncés de l'étage supérieur et du toit avec une couleur terre de Sienne transparente. Rehaussez les zones foncées de l'intérieur des arcades situées sur la gauche à l'aide de glacis de couleur terre de Sienne. Peignez l'arbre dans différentes tonalités de vert, toujours sur fond sec. Définissez les barreaux de la rambarde de l'étage en appliquant un ton foncé qui suggérera l'arrière-plan de celle-ci. Peignez la porte qui se trouve sur la droite, à l'étage, avec un brun très foncé ; définissez également les barreaux de cette rambarde.*

7. *Avant que la balustrade de l'étage soit complètement sèche, atténuez rapidement la présence de la couleur brune à l'aide d'un pinceau propre et humide ; remplacez la couleur que vous avez retirée par quelques traits de terre de Sienne qui se mélangeront et se fondront sur le fond humide, et suggéreront ainsi les barreaux. Avec de la terre d'ombre brûlée très dense, peignez l'ombre de l'étage sur le rez-de-chaussée ; assombrissez cette zone avec un lavis transparent de la même couleur, mais sans empiéter sur la colonne.*

8. *Peignez l'épaisseur du sol de l'étage d'un coup de pinceau de couleur terre de Sienne, qui se fondra avec la couleur de base. Peignez le tronc de l'arbre avec de la terre d'ombre brûlée ; votre coup de pinceau doit être fin, suivre la forme tortueuse du tronc, et s'interrompre dans les zones les plus lumineuses, qui doivent être laissées en réserve. Continuez à peindre les contrastes doux qui donnent forme à la cime de l'arbre dans diverses tonalités de vert.*

9. *Peignez la balustrade de l'étage avec un vert lumineux mélangé à de la terre de Sienne ; le tracé ne doit pas être continu, il doit être interrompu dans les zones éclairées. Utilisez le même ton pour peindre les lignes du parement, puis renforcez les tons foncés qui délimitent les barreaux de la balustrade derrière lesquels se trouve la porte. Ainsi se termine ce travail.*

SCHÉMA - RÉSUMÉ

Les barreaux sont définis par les tons foncés des ombres postérieures.

Le contre-jour sépare les zones de lumière en deux parties : la première est complètement blanche et la seconde comporte des ombres qui donnent forme aux plans et aux zones foncées.

Diverses tonalités de vert, toujours appliquées sur fond sec pour que les coups de pinceau soient précis, ont été employées pour peindre **la cime de l'arbre.**

Le tronc de l'arbre a été peint avec de la terre d'ombre brûlée, à coups de pinceau fins et interrompus dans les zones les plus éclairées.

Comment peignait

Emil Nolde

(Nolde 1867 - Seebüll 1956)

Fleurs

Nolde est le pseudonyme du peintre allemand Emil Hansen. Sa façon de peindre rappelle celles de Van Gogh et de J. Ensor, des artistes envers lesquels il éprouvait une grande admiration. Les couleurs stridentes et les formes expressionnistes foisonnent dans ses tableaux, dans lesquels abondent des scènes religieuses qui, à l'époque, causèrent un grand scandale en raison de leur sensualité.

Les fleurs sont l'un des thèmes qui permettent le traitement le plus libre à l'aquarelle. Une simple tache de couleur avec une extrémité verte se convertit presque par magie en une fleur fraîche et colorée. Cela permet d'obtenir des travaux très gestuels, riches en force et en couleurs, comme l'exemple ci-dessous. Cet exercice vous propose de réaliser un travail rapide et agréable, et dont le résultat plastique est très attrayant. Là non plus, il ne s'agit pas de copier le modèle, mais de comprendre la technique employée par l'artiste.

MATÉRIEL NÉCESSAIRE

Couleurs en tube (1), crayon à papier (2), papier à aquarelle (3), pinceaux à aquarelle (4), récipient rempli d'eau (5), chiffon (6) et éponge (7).

1. *Nolde n'a certainement pas débuté cette œuvre par l'exécution d'un schéma au crayon au papier. Nous vous proposons néanmoins d'opter ici pour cette solution car elle facilitera la suite du travail. Le dessin doit vous fournir les proportions des formes qui se convertiront en fleurs. Bien qu'il ne s'agisse pas d'obtenir une copie exacte du modèle, mais une interprétation de la façon de peindre de l'artiste, nous vous conseillons de pratiquer l'exercice qui consiste à tenter d'atteindre une ressemblance maximale avec le modèle ; le fait de prendre comme référence un modèle peint par un autre artiste est tout aussi valide que de se servir d'une photographie ou d'un modèle naturel.*

2. *Appliquez tout d'abord un lavis violacé très transparent sur le fond, en laissant en réserve les zones qui seront occupées par la couleur blanche du papier ou par des taches qui ne devront pas se fondre avec le fond. Dans cette optique, commencez à peindre la fleur violette ; étant donné que la partie centrale de la fleur coïncide avec une zone exempte de lavis de couleur, vous pourrez la peindre avec précision. À droite de cette partie centrale, peignez le pétale dont vous pouvez observer le fondu sur le modèle ; la couleur se mélange immédiatement avec celle du fond humide. Commencez à peindre les fleurs jaunes de la partie supérieure.*

3. *Vous remarquerez, ci-contre, la présence d'une tonalité rougeâtre presque transparente et très lumineuse sur le fond des fleurs. Observez également les couches plus foncées et les coups de pinceau beaucoup plus précis qui ont été superposés à cette tonalité. La fleur rouge de la zone supérieure est celle qui contient le plus grand nombre de tonalités de rouge ; pour la peindre, appliquez tout d'abord un lavis transparent, puis laissez-le sécher avant de passer à l'application suivante ; peignez la fleur inférieure avec un ton de rouge beaucoup plus opaque. Commencez à appliquer des taches de couleur violacée dans la zone qui correspond aux fleurs situées en bas et à droite ; vos coups de pinceau entraîneront une partie de la couleur des fleurs rouges.*

4. *Complétez cette zone à l'aide d'un ton violacé légèrement sale ; réalisez différents apports de tons et laissez-les fusionner. Peignez le centre des coquelicots situés à droite avec une couleur noire et appliquez des tons rougeâtres sur les couleurs précédentes, qui sont maintenant sèches. Peignez la partie supérieure de la première fleur en appuyant légèrement sur la pointe de votre pinceau. Avec la couleur jaune que vous avez utilisée pour peindre les fleurs, commencez à ébaucher les tiges ; appliquez du vert sur cette couleur encore humide et faites en sorte que les deux tons se mélangent sur la majorité des tiges.*

5. *Vous avez appliqué les principales taches de couleur du tableau. Il vous faut maintenant définir les premiers contrastes qui différencient les fleurs. Le fond des fleurs ne doit pas être totalement sec si vous voulez obtenir un effet similaire à celui obtenu par Nolde. Utilisez un bleu de cobalt assez dense pour traiter les zones foncées. Appliquez-le sur le lavis des fleurs inférieures, juste au-dessous des coquelicots ; votre pinceau doit entraîner une partie du rouge pour obtenir une tonalité violette. Peignez la partie la plus foncée des fleurs avec une couleur noire.*

6. *Il vous faut maintenant peindre les pétales orangés situés près des taches de couleur lilas, dans la partie gauche du tableau. Appliquez tout d'abord des taches de jaune d'or très dense pour que la couleur que vous leur superposerez dispose d'une base forte à laquelle se mélanger. Cette couleur est un rouge de cadmium, qui se transforme en une couleur orange lumineuse lorsque les deux couleurs se mélangent. Avant que le ton orangé soit sec, appliquez de nouveau du violet et laissez-le se mélanger avec les couleurs inférieures qui sont encore humides.*

7. *Laissez sécher l'ensemble avant d'appliquer les glacis destinés à assombrir le fond ; vous éviterez ainsi que les couleurs soient altérées par la fusion des tons. Lorsque le fond est sec, peignez-le avec une tonalité violette à laquelle vous aurez ajouté une petite quantité de terre de Sienne pour que le ton soit beaucoup plus chaud. Réalisez cette application de couleur sur le glacis que vous avez peint au début, mais sans empiéter sur les couleurs les plus lumineuses.*

Le jaune est l'une des couleurs permettant d'obtenir les taches les plus lumineuses.

8. *Continuez à travailler sur les fleurs situées à gauche pour terminer la définition des pétales grâce à l'application de tonalités légèrement plus denses, mais qui ne doivent pas contraster excessivement avec les couleurs précédentes. Avec le jaune que vous avez utilisé pour peindre les fleurs de la partie supérieure, peignez la dernière fleur, qui en est encore au stade de l'esquisse. Comme vous pouvez le constater, les dernières retouches ne doivent pas être trop visibles.*

9. Il ne vous reste plus qu'à assombrir légèrement le pétale orange situé sur la gauche. Vous obtiendrez ce contraste en appliquant un glacis de couleur violacée complété par le ton orange d'origine. Appliquez un nouveau glacis de la même couleur sur la fleur violette et laissez-le se fondre avec le vert de la tige. Ces dernières retouches constituent la dernière étape de cet intéressant travail gestuel. Le tableau étant terminé, il est important de réfléchir aux diverses étapes du travail et à la façon dont l'œuvre de l'artiste peut être interprétée.

SCHÉMA - RÉSUMÉ

Le premier apport de couleur consiste en un glacis violacé sur lequel sont peintes les fleurs violettes situées sur la gauche.

Des pétales d'une couleur orangé intense viennent s'ajouter aux côtés **des taches de couleur lilas situées sur la gauche.**

Les coquelicots sont peints en plusieurs étapes : application d'un lavis très clair, puis de tons plus denses.

Les tiges sont tout d'abord peintes avec une couleur **jaune** à laquelle vient se superposer du vert avant que la première couche soit sèche.